Anne Bacus

Le grand livre des

tests Qi de

tests
de Quotient
intellectuel

• MARABOUT •

Sommaire

Introduction

Passer des tests : un acte courant

Passer des tests est devenu aujourd'hui une situation banale. Examen, embauche, permis de conduire, orientation sont autant de situations où l'on est testé.

En ce qui concerne les enfants et les adolescents, les tests sont rarement les seuls outils utilisés, mais ils sont une aide importante à la décision. Faciles à passer et à corriger, ils permettent une approche objective et équitable de la personne. Et s'ils ne décrivent pas l'enfant, ils décrivent avec pertinence certains de ses traits.

Le comportement humain est déterminé par de nombreux facteurs et il serait abusif de penser qu'un test puisse suffire à tout expliquer. La valeur d'une note de performance ou de Q.I. est donc toujours à resituer dans un contexte et à mettre en parallèle avec d'autres critères de personnalité, comme la persévérance ou la créativité.

Les tests d'intelligence

Ce sont les tests les plus anciens et les plus utilisés.

Les tests d'intelligence utilisés par les psychologues professionnels sont fiables dans la mesure où ils ont été construits avec de grandes précautions : ils sont fidèles, mesurent ce qu'ils sont censés mesurer et sont étalonnés sur une population qui servira de référence à l'analyse des résultats. Bien entendu, le résultat d'un test d'intelligence n'est valide qu'à condition qu'il soit passé dans les conditions même où il a été standardisé. Cela relève de la responsabilité du professionnel qui fait passer les épreuves et qui en interprète les résultats.

Les tests mentaux ont été beaucoup critiqués et, bien sûr, ils sont loin d'être parfaits. S'ils ne sont pas totalement indépendants du niveau culturel (bien que les efforts des constructions aillent dans ce sens), ils restent néanmoins les moins biaisés de tous les autres types d'examen, évaluation, jugement ou méthode de sélection. Le candidat brillant issu d'un milieu socioculturel défavorisé, ou qui a mal réussi dans ses études, a plus de chances de se sortir d'un test objectif standard que d'une orientation au jugé comme cela se pratique souvent.

Qu'est-ce que l'intelligence ?

Si l'on parle d'intelligence sans vraiment définir ce mot, c'est que personne parmi les chercheurs, psychologues ou simples citoyens, n'est d'accord sur la définition. Néanmoins, le terme est généralement bien compris par tous. La psychométrie, science de la mesure des capacités mentales, représente la première tentative d'appliquer des méthodes quantitativement rigoureuses déjà employées avec succès dans d'autres sciences, au fonctionnement de l'esprit humain. Elle a abouti au fait suivant : un test soigneusement conçu, standardisé sur la population d'origine et validé statistiquement, peut situer une personne par rapport à cette population selon son habileté logique et mentale. Le bon degré de validité offre une meilleure prédictibilité que les autres méthodes ou jugements développés par ailleurs. C'est la raison pour laquelle les tests, bien que si décriés, sont autant utilisés, dans le milieu scolaire comme dans le milieu professionnel.

Je laisserai de côté la question de savoir si l'intelligence relève de la nature ou de la culture, si elle est innée ou acquise. Piégée idéologiquement, cette question a généré une quantité énorme de polémiques et de littérature. La position des chercheurs sérieux est toujours la même : les deux, naturellement, nature et culture. Impossible de construire une intelligence sans matériaux de départ (et ces matériaux nous sont à tous largement distribués). Impossible tout autant de se contenter des matériaux bruts, sans organisation ni apprentissage.

De même, pour être champion de course à pied, faut-il à la fois de bonnes dispositions physiques de départ et un rigoureux entraînement.

Les différents types d'intelligence

L'intelligence que mesurent ces tests est l'aptitude à comprendre et résoudre rapidement des petits problèmes logiques. Mais il existe bien d'autres formes d'intelligence, que chacun possède en plus ou moins grande quantité. Chacune de ces formes d'intelligence a son importance dans la vie personnelle, sociale et professionnelle.

Citons l'intelligence de l'autre, l'intelligence des mots, l'aptitude spatiale, la créativité, l'intelligence artistique, l'intelligence intuitive, le sens de l'organisation, etc. Ce qui fait l'intelligence de chaucun, et qui lui est propre, n'est rien d'autre que la résultante de toutes ces composantes.

Le Q.I.

Le quotient intellectuel (ou Q.I.) est une façon de mesurer la réussite aux tests d'intelligence, mais c'est une notion qui est moins utilisée aujourd'hui. Il représente en réalité la précocité d'un enfant par rapport à l'ensemble des enfants de son âge dans le domaine mesuré. Il reflète essentiellement une aptitude mentale à résoudre rapidement des petits problèmes de logique à support de chiffres, de formes, de dessins, de lettres ou de mots.

Le Q.I. n'a pas une valeur absolue : une marge d'erreur existe qui explique que l'on ne trouve pas toujours le même résultat avec des tests différents. La distribution des notes de l'échantillon n'est pas non plus toujours la même. De plus, cette notion de Q.I. ne s'applique pas pour les adultes. Cela explique que, même pour les enfants, elle soit maintenant tombée un peu en désuétude. On lui préfère la notion de décile, qui se contente de situer chacun, adulte ou enfant, par rapport aux résultats obtenus par un large échantillon de sa population d'origine. On compare l'individu par rapport aux résultats obtenus par un groupe qui a servi d'échantillonnage. On dira par exemple de quelqu'un qu'il est dans le deuxième décile si ses résultats le situent entre les 10 % et les 20 % meilleurs.

Il a été montré que l'entraînement aux tests améliore dans une certaine mesure les résultats. Etre familier avec ce type d'épreuves permet de les passer plus facilement. C'est tout l'intérêt d'un ouvrage comme celui-ci qui aide celui qui l'utilise à se familiariser avec les épreuves possibles d'un test.

Les tests de ce livre

Les tests de ce livre n'ont pas été standardisés ni étalonnés sur une assez grande population pour qu'il soit possible de fournir une note de Q.I. ou un décile.

Parce qu'on les passe seul, des tests comme ceux de ce livre ne valent pas ceux qui sont passés par un psychologue dans son cabinet. Des biais existent et l'on peut toujours en fausser les résultats. Mais ces tests permettent un bon reflet du fonctionnement mental global et les appréciations données, si le test a été passé honnêtement, sont très utiles.

Ces tests seront en tous cas précieux pour tous ceux qui s'attendent à devoir un jour passer des tests d'intelligence, c'est-à-dire presque tout le monde. Les faire dans de bonnes conditions, s'entraîner sérieusement, essayer de comprendre les solutions aux questions que l'on n'a pas résolues, sont autant de démarches qui vous aideront dans un futur proche.

Il est en effet prouvé que, s'il est impossible de modifier l'intelligence d'un individu, il est tout à fait possible d'en améliorer le fonctionnement et l'efficacité. De même, certaines influences extérieures peuvent agir sur un résultat à un test : émotivité, nouveauté ou, au contraire, habitude, entraînement, etc. Ce livre peut vous aider à employer au mieux, dans une situation de test, vos capacités mentales. Il va vous familiariser avec les questions que vous pouvez rencontrer, ce qui peut être, en situation d'embauche par exemple, un avantage déterminant par rapport aux autres candidats.

Vous entraîner aux tests d'intelligence et améliorer vos résultats peut donc vous rendre de grands services dans la vie. Mais cela peut aussi, en vous faisant découvrir le plaisir qu'il y a à exercer son intelligence sur ce genre de tests et de quizz divers, vous permettre d'accéder à un passe-temps qui vous passionnera.

Le chapitre 1 regroupe des tests faciles qui peuvent être passés par tous et constituent une bonne mise en route.

Le chapitre 2 vous permet de vous entraîner sur des exercices spécifiques : logique numérique, verbale, spatiale, cartes à jouer et dominos.

Le chapitre 3 est constitué de trois tests de difficulté croissante qui vous permettront d'améliorer progressivement votre niveau de compétence.

Dans **le chapitre 4**, cinq tests de difficulté équivalente vous permettent finalement d'évaluer votre QI. Passer un ou deux tests avant tout entraînement et les autres ensuite vous permettra de mesurer les progrès accomplis.

Mode d'emploi de ces tests

- Passez chaque test séparément, dans le calme et seul, lorsque vous disposez de temps et sachant que vous ne serez pas interrompu.

- Répondez aux questions les unes après les autres. Ne restez pas bloqué sur une question qui vous résiste : passez à la suivante au bout d'un temps de réflexion raisonnable, quitte à y revenir à la fin du test.

- Respectez le temps maximum indiqué pour chaque test.

- Reportez-vous aux corrections et comptez un point par réponse bonne et complète. Essayez de comprendre vos réponses fausses.

- Surtout, considérez ces tests comme un jeu. Prenez plaisir à exercer votre intelligence logique sur ces petits problèmes sans trop vous soucier du résultat... C'est ainsi qu'il sera meilleur !

Chapitre 1

Tests d'intelligence pour se mettre en route

Ces tests, faciles, sont destinés aux débutants, à ceux qui n'en ont jamais passé, afin qu'ils puissent se familiariser avec ce type d'exercices.

Il est évident qu'il existe un certain effet d'entraînement dont bénéficient les plus habitués. C'est pourquoi il est bon de prendre confiance en soi sur des tests simples, avant de s'attaquer aux plus complexes. Les systèmes logiques qui les sous-tendent sont en nombre limité : ce sont donc les mêmes que l'on retrouvera.

Ces tests sont également destinés aux jeunes à partir de 11 ans jusqu'à 15 ans. Une grille des résultats a été conçue pour eux (page 00). A partir de 16 ans, les jeunes relèvent des tests pour adultes.

Test I

Durée de l'exercice : 1h1/2.

1. Utilisez une fois chaque voyelle pour compléter ce mot :

P - P - L - - R -

2. Voici une série de cinq chiffres qui se suivent. Quatre d'entre eux suivent une certaine règle. Un seul est là en plus et ne suit pas la règle. Lequel ?

4   7   10   13   15

3. Parmi les cinq figures proposées, quelle est celle qui manque ci-dessous ?

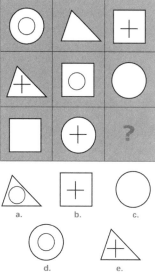

4. Lequel de ces mots ne va pas avec les autres ?

Bourgogne   **Normandie**   **Auvergne**

Grande-Bretagne   **Provence**

5. Dans cette suite de lettres, ôtez un chiffre, il en reste un autre. Lesquels ?

D   T   R   O   E   U
I   Z   Z   E   E

6. Laquelle, parmi les figures proposées, prolonge la série ?

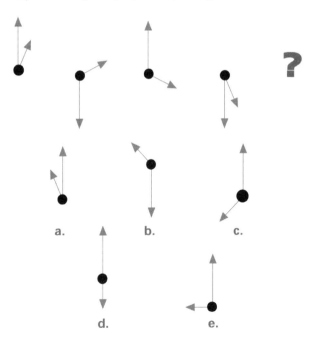

a.   b.   c.

d.   e.

7. Dans un magasin, vous achetez pour 39,90 F de fournitures. A la caisse, vous payez avec un billet de 100 F. Combien la caissière vous rend-elle ?

8. Parmi cette série de syllabes, trouvez les deux qui, réunies, forment une personne de la famille.

TAS   COU   LIM
SIN   SOIR   BA

9. Quel est le domino suivant ?

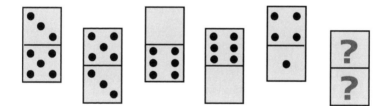

10. Décryptez ces anagrammes et trouvez un meuble.

SDO   AIOERRM   MUELP   EEBRTIL

11. Essayez de résoudre cette analogie.

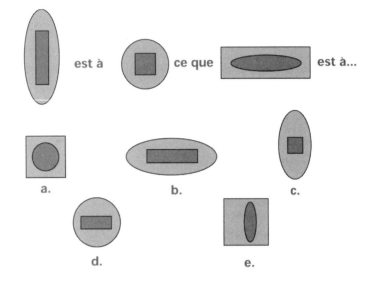

12. Lequel de ces dessins est différent des autres ?

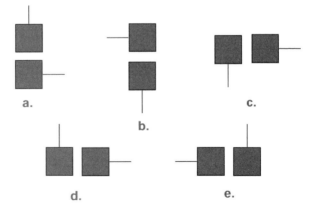

13. Quel est l'intrus ?

H   M   X   N   A

14.

15. Trouvez le mot inscrit dans le sens des aiguilles d'une montre ainsi que la lettre manquante :

16. Complétez ces deux mots qui se prononcent de la même façon mais s'écrivent différemment et signifient :

durée   coup

- E - - E   - E - - T

17. Quelle lettre prolonge la série ?

D   C   E   C   F   C   ?

18. Parmi ces mots, quels sont les deux qui ont le même sens ?

volontaire   distrait   impoli

étourdi   bienveillant

19. Voici une série de cinq chiffres qui se suivent. Quatre d'entre eux suivent une certaine règle. Un seul est là en plus et ne suit pas la règle. Lequel ?

5,2   6,9   8,6   9,5   10,3

20. Quel mot ne va pas avec les autres ?

impensable   impeccable   inimaginable

incroyable   inconcevable

21.

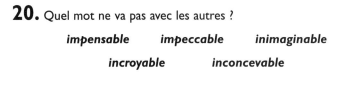

22. Quel dessin prolonge la série ?

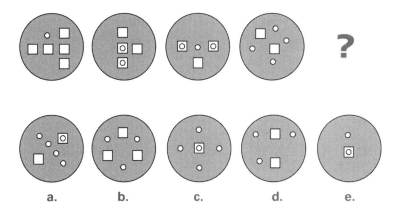

a.   b.   c.   d.   e.

23. Trouvez deux mots qui se prononcent de la même façon mais s'écrivent différemment et signifient :

un mammifère / une sorte de poil

24. **CERF** est à **BICHE** ce que **BOUC** est à   ?

25.

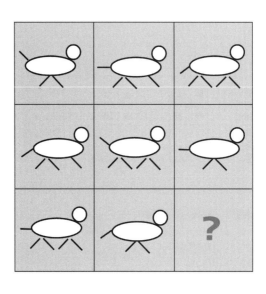

a. b. c.

d. e.

26. Quels sont les deux mots qui ont des sens contraires ?

dépendant fatal valet

capable autonome

27. Trouvez deux mots qui se prononcent pareillement mais s'écrivent différemment et signifient :

un élu / un parent

28.

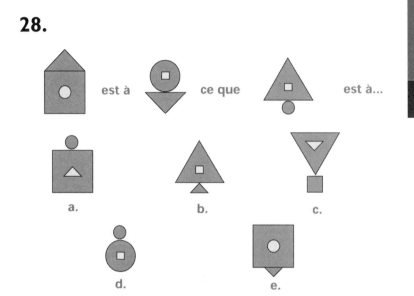

a.

b.

c.

d.

e.

29. Remettez les mots de cette phrase en ordre et dites si elle est vraie ou fausse.

à   **difficile**   **corde**   *la*   **est**

    grimper   **lisse**

30. Que vaut la moitié du triple du nombre de lettres du mot «maison» ?

31. Lequel de ces dessins ne va pas avec les autres ?

grande cuiller   fourchette   louche

couteau   petite cuiller

32. Quel est l'intrus ?

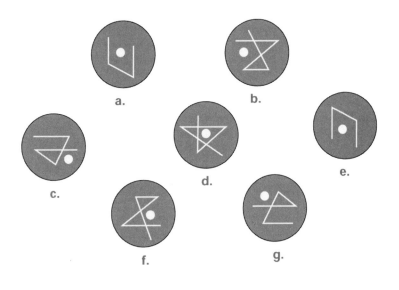

a.

b.

c.

d.

e.

f.

g.

33. Quel est le chiffre manquant ?

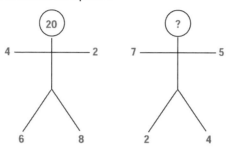

34. Quel dessin complète la série ?

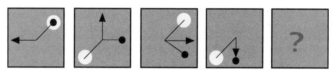

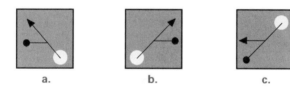

a.   b.   c.

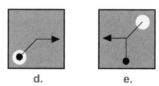

d.   e.

35. Décryptez ces anagrammes et trouvez un fruit :

LFEUR   AANCPE   FOUE   SRIECE

Corrigés page 282.

Test 2

Durée de l'exercice : 1h1/2.

1. Trouvez les trois lettres qui terminent le premier mot et commencent le second :

P A R A   - - -   P U T E

2. Quel chiffre prolonge la série ?

6   8   12   18   26   ?

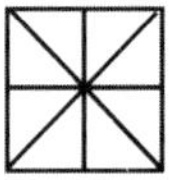

3.

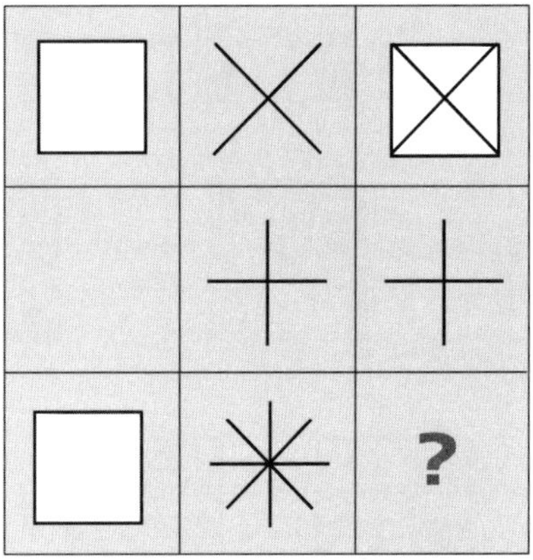

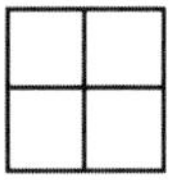

4. Quels sont les deux mots dont le sens est proche ?

DISCUSSION DISPUTE PROCÈS

AVIS CONFLIT

5. Quel dessin prolonge la série ?

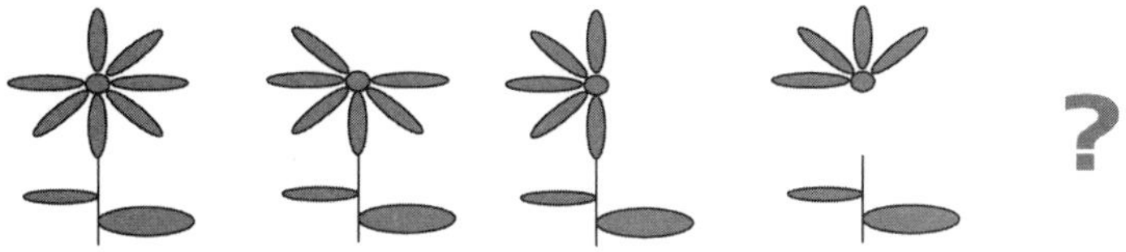

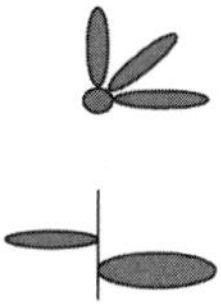

a.

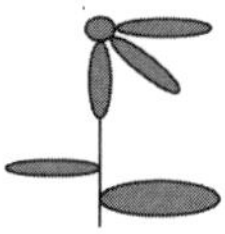

b.

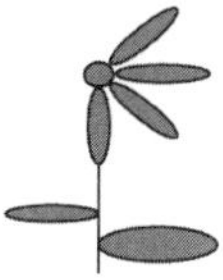

c.

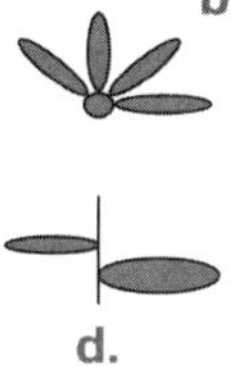

d.

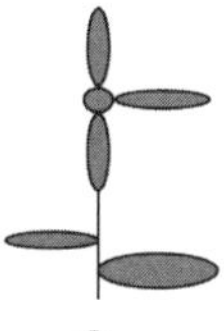

e.

6. Décryptez ces anagrammes et trouvez le mot «qui a des lettres» :

AATBLHPE OANF

AARPIEULP OISOSNP

7.

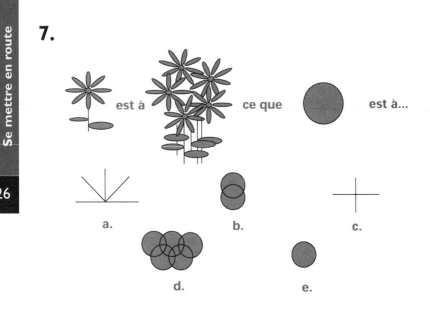

est à   ce que   est à...

a.   b.   c.

d.   e.

8. Trouvez deux mots qui se prononcent de la même façon, mais s'écrivent différemment et signifient :

un métal / agir

9. Quel est le domino manquant ?

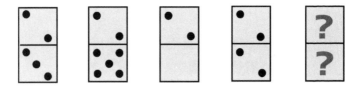

10. Trouvez le chiffre manquant :

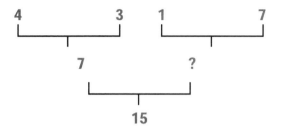

11. Reliez deux de ces groupes de lettres pour trouver un mot signifiant le contraire de «creuser» :

BAL   CAL   BOM   AME   BER   IEN

12. Lequel de ces dessins ne va pas avec les autres ?

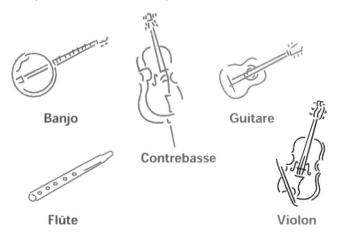

13. Quels chiffres sont à la fois diviseurs du carré de six et du triple de 15 ?

14. Trouvez les deux mots dont le sens est proche :

BREF LOURD SUCCINCT
PLAT SENSIBLE

15.

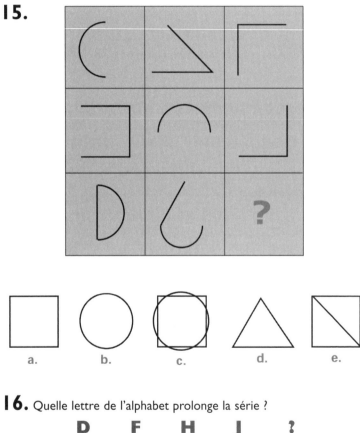

a. b. c. d. e.

16. Quelle lettre de l'alphabet prolonge la série ?

D   F   H   J   ?

17. Trouvez les deux mots qui se prononcent pareillement mais s'écrivent différemment et signifient :

une conjonction / un mois

18. Quel est le mot intrus ?

dégradé	*blâmé*	*délabré*
altéré	*détérioré*	*abîmé*

19. Décryptez les anagrammes et trouvez comment on est lorsqu'on reçoit une bonne nouvelle :

OITLEV   TNLE   TTSREI   XOUJEY

20. Quel dessin complète la série ?

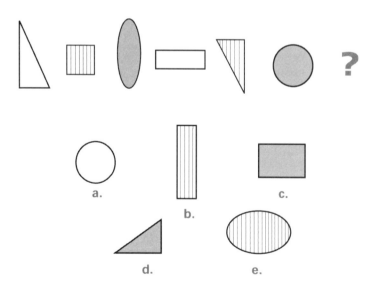

a.

b.

c.

d.

e.

21. Otez un aliment, il reste un plat :

S P O U A I P N E

22. Quelles sont les deux figures différentes des quatre autres ?

a.

b.

c.

d.

e.

f.

23. Dans cette série de cinq nombres, quatre suivent une certaine règle. Un seul vient en plus et ne la suit pas. Lequel ?

35   33   30   25   20

24. Parmi ces mots, quels sont les deux de sens contraire ?

**uniforme   habillé   utilisé
imité   varié**

25. Remettez les mots de cette phrase en ordre et dites si elle est vraie ou fausse :

> **PAS   PENSER   C'   PERPLEXE   QUOI**
> **EST   SAVOIR   ÊTRE   NE**

26. Lequel de ces dessins ne va pas avec les autres ?

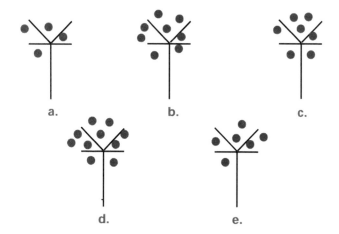

a.   b.   c.

d.   e.

27. Trouvez le mot inscrit dans le sens des aiguilles d'une montre ainsi que la lettre manquante :

28. Quel dessin ne va pas avec les autres ?

a.　　　　　　　　b.　　　　　　　　c.

d.　　　　　　　　e.

29. Quel dessin prolonge la série ?

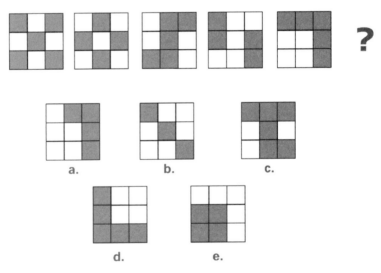

a.　　　　　　　　b.　　　　　　　　c.

d.　　　　　　　　e.

30. Essayez de résoudre cette analogie :

PENDULE est à **HEURE** ce que **THERMOMÈTRE** est à ?

31. Et celle-ci :

 est à PARIS   ce que   est à ?

32. Quel dessin ne va pas avec les autres ?

fourmi   taupe   mouche

araignée   coccinelle

33. Trouvez le mot manquant dans les parenthèses :

nudité   **(nuage)**   **voilage**
couteau   **(?)**   **bâché**

34. Quels sont les chiffres manquants ?

	6		7		13
4		1		3	
	6		4		10
10		3		7	
	4		4		?
5		3		?	

35. Quel est le dessin manquant ?

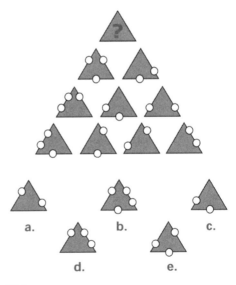

Corrigés page 284.

Test 3

Durée de l'exercice : 1h1/2.

1. Quel mot intrus ne va pas avec les autres ?

jadis　　　**autrefois**　　　**bientôt**
　　　hier　　　　　**avant**

2. Quelle est la carte manquante ?

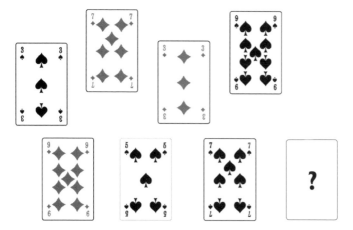

3. Quels sont les deux mots qui ont des sens proches ?

gauche　**petit**　**maladroit**
　　fort　**méchant**

4. Quel est le dessin suivant ?

?

a.

b.

c.

d.

e.

5. Ôtez une fille, il vous reste un garçon :

A   P   N   N   A   E   U   L

6. Quel est le chiffre suivant ?

21   18   15   12   ?

7. Résolvez cette analogie.

MUSIQUE est à **NOTES** ce que **MOTS** est à   ?

8. Trouvez les deux groupes de lettres qui vont ensemble. Indice : une matière scolaire.

BOL   ASM   CUL

CAL   TER   FRA

9. Quel est le dessin manquant ?

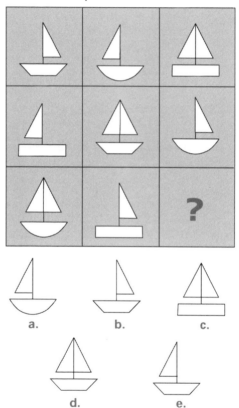

a.   b.   c.

d.   e.

10. Remettez ces mots dans l'ordre et trouvez un comédien.

PPRIEA   REUDO   AASLTME   ATRUEC

11. Lequel de ces dessins ne va pas avec les autres ?

12. Pierre a à la fois la moitié de l'âge de Matthieu et sept ans de moins. Quels âges ont-ils ?

13. Trouvez deux mots qui se prononcent pareillement mais s'écrivent différemment et ont pour définition :

Pronom personnel / Lieu géographique

14. Vous devez résoudre cette analogie :

S est à R ce que U est à ?

15. Remettez cette phrase dans l'ordre et dites si elle est vraie ou fausse :

RIVIÈRE   UN   EST   DE   SARDINE   POISSON   LA

16.

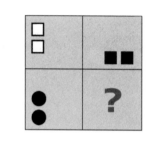

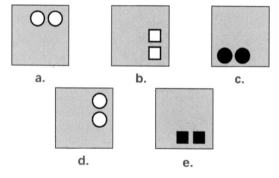

a.   b.   c.

d.   e.

17. Quel mot peut-on écrire à la place du point d'interrogation ?

rocher
caillou

nicolas   alain   ?   paul   romain

gravier
galet

18. Dans chaque case notée de a à i, se trouve la superposition du dessin de la ligne et de la colonne correspondantes. Une des neuf intersections est fausse. Laquelle ?

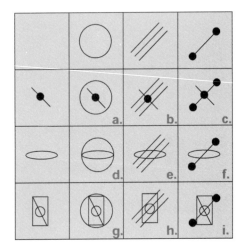

19. Dans cette série de cinq nombres, quatre suivent une certaine règle. Un seul vient en plus et ne la suit pas. Lequel ?

3   6   8   12   24

20. Quel est le mot qui ne va pas avec les autres ?

blâmer   traîner   réprimander
corriger   disputer   critiquer

21. Et ici, quel est l'intrus ?

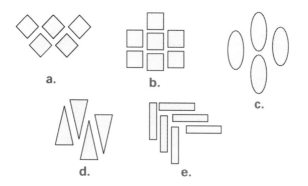

a.

b.

c.

d.

e.

22. Trouvez le mot inscrit dans le sens des aiguilles d'une montre ainsi que la lettre manquante :

23. Si j'ôte un quart de deux tiers, combien reste-t-il ?

24. Essayez de résoudre cette analogie :

est à   ce que   est à ?

25. Quelle lettre prolonge la série ?

A   C   B   D   F   E   G   I   ?

26. Dans cette série de mots, quels sont les deux de sens contraire ?

GÂTEUX   FIN   GIGANTESQUE

POMPEUX   MINUSCULE   DOUX

27. Quel dessin ne va pas avec les autres ?

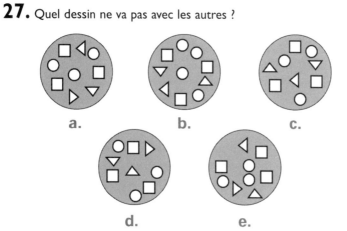

a.

b.

c.

d.

e.

28.

MARTEAU

SCIE

B L ? P M

FOURCHE

TOURNEVIS

29. Quel est le chiffre manquant ?

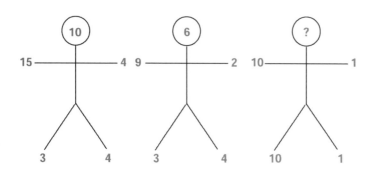

30. A vous de résoudre ces anagrammes pour trouver un pays :

SOUR   EENTURL   EENGSPA   NVOIA

31. Quel dessin poursuit la série ?

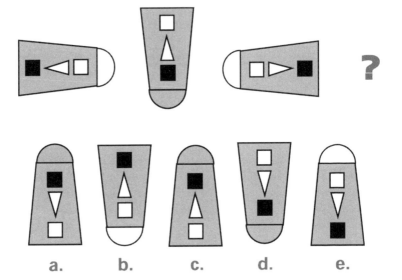

a.   b.   c.   d.   e.

32. Deux de ces mots ont un sens proche. Lesquels ?

ÔTER   ÉPLUCHER   MANGER

CUEILLIR   CASSER   PELER

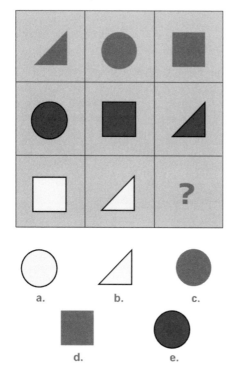

33. Quel est le dessin manquant ?

a.

b.

c.

d.

e.

34. Trouvez deux mots qui se prononcent pareillement mais s'écrivent différemment et signifient :

UN ADJECTIF POSSESSIF / UN POISSON

35. Trouvez les trois lettres qui terminent le premier mot et commencent le second :

F A R   -   -   -   Q U E

Corrigés page 286.

Test 4

Durée de l'exercice : 1h1/2.

1. Quel dessin prolonge la série ?

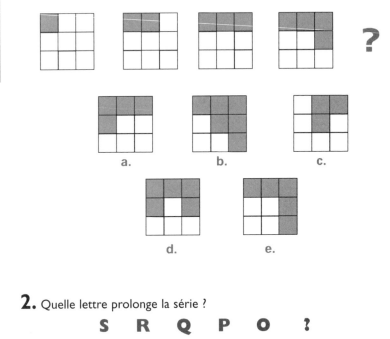

2. Quelle lettre prolonge la série ?

S   R   Q   P   O   ?

3. Remettez les mots de cette phrase dans l'ordre et dites si elle est vraie ou fausse :

les   feu   traversent   piétons   rouge   au

4. Parmi les cinq propositions, laquelle complète ces séries ?

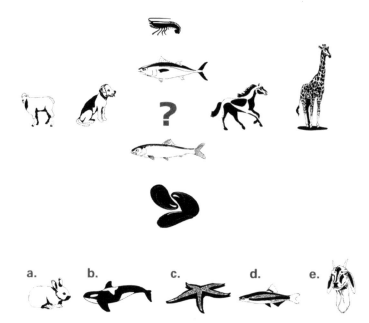

a.   b.   c.   d.   e.

5. Combien vaut le double du quart ?

6. Dans cette liste, quels sont les deux mots de sens contraire ?

domination   *conquête*   *soumission*

attention   *ordre*   *ascension*

7. Quels sont les deux dessins différents des quatre autres ?

a.

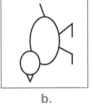

b.

c.

d.

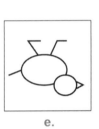

e.

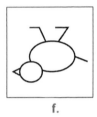

f.

8. Décryptez ces anagrammes et trouvez ce que l'on porte au carnaval :

**RALD   COEUSMT   LVCHAE
RTONME**

9. Trouvez deux mots qui se prononcent pareillement mais s'écrivent différemment et signifient :

une cruche   /   du cuir

10. Mettez deux de ces syllabes ensemble pour faire une habitation.

ÎLE	**MES**	**MAI**
ENT	**CAR**	**SON**

11. Quel dessin ne va pas avec les autres ?

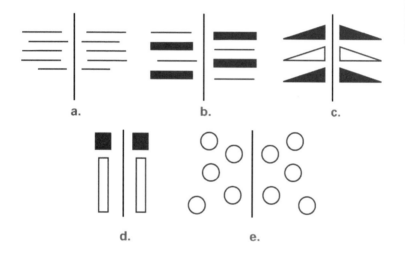

a.   b.   c.

d.   e.

12. Quel mot ne va pas avec les autres ?

sculpture   **couture**

culture

voiture   **peinture**

13. Quel dessin prolonge la série ?

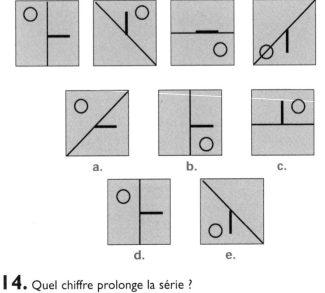

a.

b.

c.

d.

e.

14. Quel chiffre prolonge la série ?

208   104   52   26   ?

15. Quel dessin ne va pas avec les autres ?

16. Quel dessin prolonge la série ?

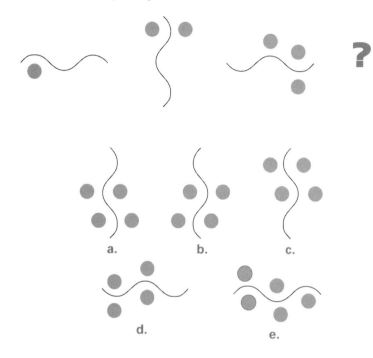

a. b. c.

d. e.

17. Voici une analogie à résoudre :

HACHE est à **BÛCHERON** ce que **SCIE** est à ?

18. Parmi ces mots, quels sont les deux qui ont des sens proches ?

vraisemblable   *sûr*   *faux*

correct   *possible*   *attendu*

19. Quel dessin prolonge la série ?

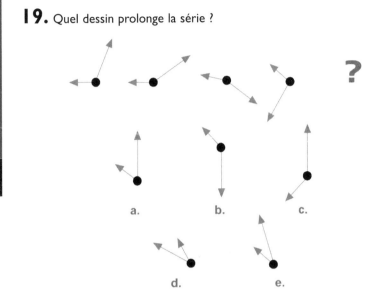

a.

b.

c.

d.

e.

20. Quel arbre ne va pas avec les autres ?

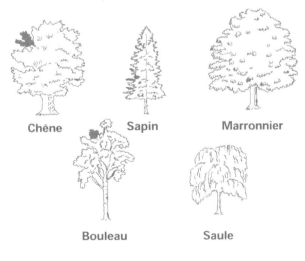

Chêne

Sapin

Marronnier

Bouleau

Saule

21. Quel est le dessin qui manque ?

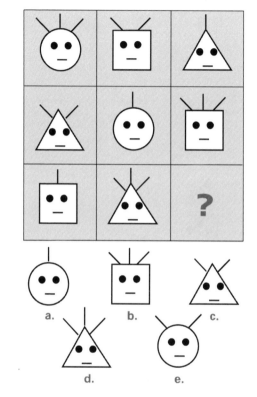

a.

b.

c.

d.

e.

22. Si **5** vaut **25**

et **4** vaut **16**,

alors combien vaut **7** ?

23. Otez une île, il reste une mer :

C O M A R N S C H E E

24. Quelle carte manque-t-il ?

25. Découvrez ces anagrammes afin de trouver un animal :

OAYNRC   **HNSSRIOE**   **ASVE**   **EIULTP**

26. Résolvez cette analogie :

27. Quel dessin complète la série ?

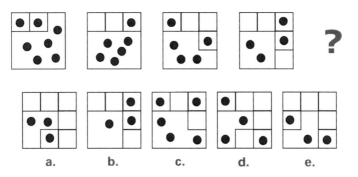

a.   b.   c.   d.   e.

28. Trouvez deux mots qui se prononcent de la même façon, mais s'écrivent différemment et signifient :

Ici   /   Fatigué

29. Quels sont les chiffres manquants ?

	3		6		18
4		5		9	
	9		4		36
8		6		14	
	8		3		?
9		7		?	

30. Quel est le dessin manquant ?

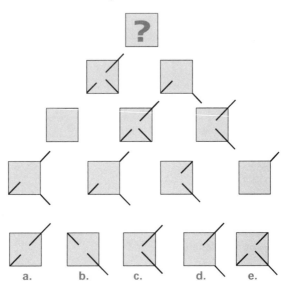

31. Utilisez une fois chaque voyelle pour compléter ce mot :

P - - R - - -

32. Trouvez le mot inscrit dans le sens des aiguilles d'une montre ainsi que la lettre manquante.

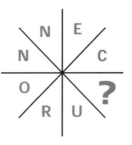

33. Quel drapeau prolonge la série ?

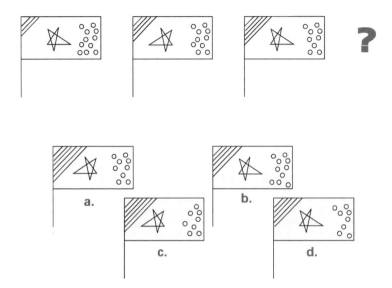

a.

b.

c.

d.

34. Dans cette série de mots, quels sont les deux qui ont le même sens ?

don	*secours*	*présent*
danger	*futur*	*accueil*

35. Quelle lettre vient compléter la série ?

X   Y   M   N   B   C   K   ?

Corrigés page 289.

Test 5

Durée de l'exercice : 1h1/2.

1. Quelle est la carte manquante ?

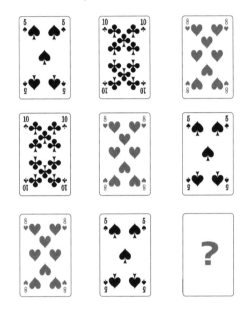

2. Quel est le chiffre qui prolonge la série ?

9   15   21   27   ?

3. Lequel de ces mots ne va pas avec les autres ?

pianiste   *artiste*   *flûtiste*

violoniste   *guitariste*

4. Dans chaque case notée de a à i, se trouve la superposition du dessin de la ligne et de la colonne correspondantes. Une des neuf intersections est fausse. Laquelle ?

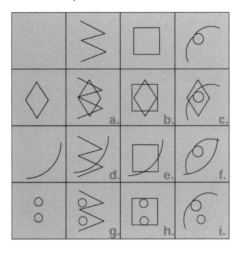

5. Joignez deux de ces syllabes pour former un animal :

BOL   **OIS**   **COM**

EAU   **TAS**   **AUX**

6. Essayez de résoudre cette analogie :

MASSUE est à **FUSIL** ce que **GROTTE** est à **?**

chasse   préhistoire   maison

caverne   baïonnette

7. Remettez en ordre les mots suivants afin de trouver une fleur blanche.

RDOUE   **TUMEUG**   **NNOOGI**   **NEUL**

8. Lequel de ces dessins ne va pas avec les autres ?

9. Deux de ces mots ont un sens proche. Lesquels ?

vaincre   *craindre*   *grandir*   *gagner*

manier   *perdre*   *écraser*

10. Essayez de résoudre cette analogie :

A est à **Z**   ce que **C** est à **?**

11. Quelles sont les valeurs du domino manquant ?

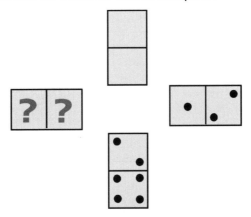

12. Trouvez deux mots qui se prononcent de la même façon mais s'écrivent différemment et signifient :

un liquide / vilain

13. Quel dessin ne va pas avec les autres ?

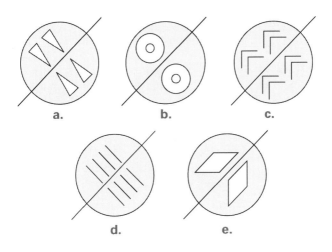

14. Combien vaut le double du cinquième de la moitié de cent ?

15. Voici une nouvelle analogie :

    ROSE   est à   *POSE*   ce que   *RÂLE*   est à   *?*

16. Quelle est la figure manquante ?

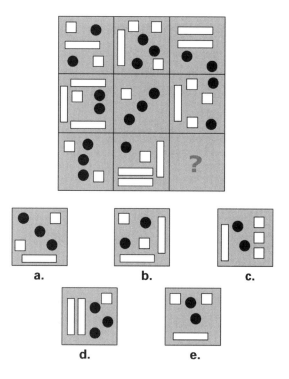

    a.   b.   c.

    d.   e.

17. Complétez ce mot qui est à la fois un fruit et une profession :

- - - C - -

18. Quel est l'intrus ?

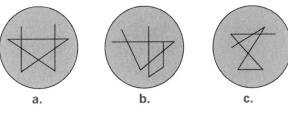

a.   b.   c.

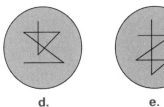

d.   e.

19. Otez un fruit, reste un légume :

P N A O V E I T R E

20. Remettez les mots de cette phrase en ordre et dites si elle est vraie ou fausse.

FEUILLES   AU   LEURS   PERDENT   LES

PRINTEMPS   ARBRES

21. Quelle lettre vient prolonger la série ?

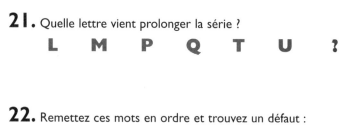

L   M   P   Q   T   U   ?

22. Remettez ces mots en ordre et trouvez un défaut :

speesra   nieb   rneiva   rivel

23. Quel est le dessin manquant ?

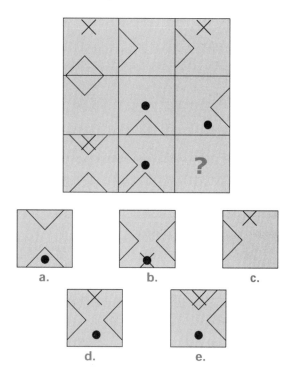

a.   b.   c.

d.   e.

24. Quel est le chiffre manquant ?

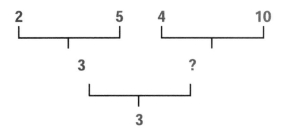

25. A vous de résoudre cette analogie :

COUDRE est à COUSU ce que NAÎTRE est à ?

26. Résolvez cette analogie :

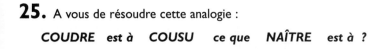

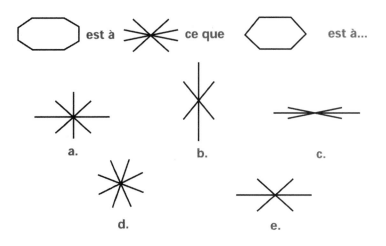

27. Trouvez le mot écrit dans le sens des aiguilles d'une montre et la lettre manquante :

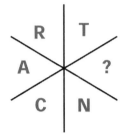

28. Trouvez deux mots qui se prononcent pareillement mais s'écrivent différemment et signifient :

une surface / une période

29. Quel est l'intrus ?

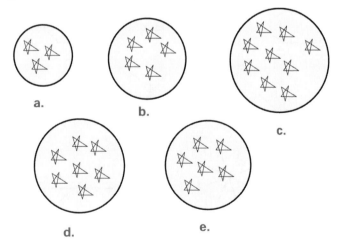

a.

b.

c.

d.

e.

30. Un foulard coûtait 20 F. Son prix a augmenté de 20%. Quel est son nouveau prix ?

31. Trouvez deux mots qui se prononcent pareillement mais s'écrivent différemment et signifient :

une couleur / un animal

32. Quelle est la carte manquante ?

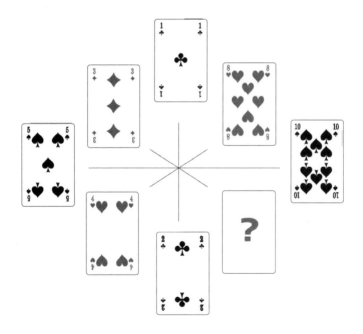

33. Parmi ces mots, quels sont les deux de sens contraire ?

DÉFENDRE   *BATTRE*   *NUIRE*

INTÉRESSER   *PERMETTRE*

34. Quel mot ne va pas avec les autres ?

vache   **chèvre**   **mouton**

poule   **oie**

35. Trouvez ce qui prolonge la série :

9:40   10:05   10:30   10:55   ?

Corrigés page 291.

Chapitre 2

Tests pour s'entraîner

Des tests verbaux

Exercice n°1

Compréhension et raisonnement à support verbal

Durée de l'exercice : 20 minutes.

Quel mot a les deux sens suivants ?
1. signalé . . . . .ville
2. monnaie . . . . .honnête
3. foule . . . . .marteau
4. rémunération . . . . .braderie
5. suggérer . . . . .respirer

Quel mot finit le premier et commence le second ?
6. TA . . . . .TON
7. DE . . . . .IGE
8. ENTRE .IER
9. PI . . . . .SURE
10. TRUB . . . . .CEAU

Quel est l'intrus ?
11. cahier • manteau • crayon • cartable • livre
12. fourchette • marteau • vis • clou • perceuse
13. pomme • cerise • citron • carotte • framboise
14. brouillé • lourd • dur • battu • poché
15. déclive • pente • diagonale • aplomb • dévers
16. se promener • déambuler • arpenter • cheminer • se balader

17. se réfugier • s'évader • s'enfuir • détaler • s'esquiver
18. émaner • descendre • provenir • comparer • dériver

Deux de ces mots ont un sens proche, lesquels ?
19. questionner • vouloir • chercher • interroger • suspecter
20. cuisine • chambre • corridor • salon • couloir • vasistas
21. parler • fredonner • crier • annoncer • chantonner • louer
22. fainéant • badaud • oisif • paresseux • reposé • idiot
23. illustre • orgueilleux • méritoire • célèbre • épique • vif
24. acidité • amertume • goût • âcreté • salaison • saveur
25. réprimer • gêner • préserver • achopper • déranger • garder

Quel mot peut venir se placer juste avant chacun de ceux-ci pour former de nouveaux mots ou expressions ?
Ex : le mot «dé» peut venir se placer avant faire, lit et route, pour former défaire, délit et déroute.
26. levée • mise • tenir • morte
27. être • fait • tôt • venu
28. âge • bleu • relief • morceau

Quel mot peut venir se placer juste après chacun de ceux-ci pour former de nouveaux mots ou expressions ?
29. quelque • faire • mauvaise • prendre
30. peau • vin • place • lanterne

Corrigés page 294.

Exercice n°2

Les séries verbales : antonymes et synonymes

Les tests suivants sont à base de mots, c'est pour cela qu'ils sont dits «verbaux». Dans les premiers exercices, vous devez trouver le synonyme (mot de même sens) d'un mot fourni parmi une liste de mots; dans les dix suivants, un mot de sens contraire (un antonyme). Enfin, dans les dix derniers, il s'agit à nouveau de trouver un synonyme, mais le mot cible est inséré dans une phrase, ce qui rend parfois l'exercice plus facile. Ces tests de vocabulaire témoignent de votre aptitude à comprendre et manier la langue française. Ils sont d'autant plus importants dans le recrutement que vous postulez pour un emploi où vous serez en contact avec l'écrit. Vous trouverez d'autres tests de connaissance verbale à la fin de cet ouvrage.

Dans les épreuves comme celle-ci, où la bonne réponse est cachée parmi les cinq proposées, vous pouvez toujours, en cas de doute, tenter de procéder par élimination.

Durée de l'exercice : 30 minutes.

Parmi les cinq mots proposés, quel est celui dont le sens se rapproche le plus du mot en majuscules ?

1. CHAGRIN

dépit   joie   cuir   tristesse   pitié

2. RESPECTABLE

joyeux   estimable   aimable   hautain   amical

3. CORPULENT

ennuyeux   sportif   grand   gros   voyant

4. MALIN

pingre   rusé   difficile   câlin   efficace

5. PIÉTÉ

courage   force   douleur   foi   amitié

6. OBLIQUE

penché   rigide   durable   dessin   ligne

7. FLEXIBLE

liquide portable tube rigide pliable

8. CAMOUFLER

gifler montrer déguiser habiller ganter

9. ÉRUDIT

agricole ignorant parlé cultivé connu

10. OSTENSIBLE

accessoire caché bougeoir enlevé voyant

Parmi les cinq mots proposés, quel est celui dont le sens est contraire à celui du mot en majuscules ?

11. GENTIL

gourmand menteur avare méchant tendre

12. SOMBRE

nuit blanc clair soleil foncé

13. RIGIDE

mobile moderne mystérieux morbide fixé

14. SAVANT

humain innocent naïf ignorant loyal

15. RASSEMBLER

opposer douter disperser renoncer relaxer

16. FINI

terminé infini régulé irrité prolongé

17. RÉSOLU

révulsé introduit dénoncé révocable hésitant

18. ARDU

énergique rentable effectif facile calme

19. NAÏF

rusé enfantin confiant candide vieux

20. ABSTRAIT

physique principal politique périssable pratique

Quel est, parmi les quatre mots proposés, celui dont le sens se rapproche le plus du sens du mot souligné ?

21. Cette personne m'a été conseillée pour sa <u>dextérité</u>.
habileté   ponctualité   courtoisie   coopération

22. L'équipement de cet atelier est <u>obsolète</u>.
complexe   pratique   dépassé   pointu

23. Le principal avait une grande <u>latitude</u> dans le choix du matériel.
aide   liberté   habitude   exigence

24. Un écrivain <u>prolifique</u> écrit des livres:
difficiles   populaires   talentueux   nombreux

25. Le policier avait trouvé des traces <u>indubitables</u> d'arsenic.
importantes   suffisantes   certaines   douteuses

26. Les adolescents sont souvent d'une telle <u>présomption</u> !
suffisance   modestie   intelligence   intuition

27. La femme s'adressait à la foule d'un ton <u>pathétique</u>.
comique   émouvant   vibrant   agressif

28. L'expérience des hommes est faite des <u>sédiments</u> successifs dont la vie a tapissé leur cœur.
amours   événements   chagrins   dépôts

29. La châtelaine demanda au <u>trouvère</u> d'égayer son repas.
danseur   jongleur   poète   musicien

30. Le discours du patron les mit dans un grand <u>désarroi</u>.
silence   courage   désaccord   trouble

Corrigés page 295.

Exercice n°3

Les analogies verbales

Les analogies peuvent être à support de mots, de symboles, de chiffres, etc., et faire appel à des compétences bien différentes. Mais elles se présentent toujours de la même manière :

A / B § C / D

/ signifie «est à» et § signifie «comme» ou «ce que».

Il faut donc lire «A est à B ce que C est à D».

Le plus souvent, l'élément D manque et il va falloir le retrouver parmi plusieurs propositions. Le travail consiste à repérer la réponse qui complète le mieux l'analogie. On retrouve la règle des séries précédentes de cette partie de l'ouvrage: trouver quelle loi relie A et B, puis l'appliquer à C afin de trouver D. Parmi les mots proposés, l'un permet de constituer entre C et D une relation absolument parallèle à celle existant entre A et B. C'est celui qu'il faut trouver. Bien souvent, cela aide de faire une phrase pour illustrer la relation existant entre A et B.

Exemples :

1. LETTRES / MOT § NOTES / ?

(se lit : «Lettres» est à «mot» ce que «notes» est à ?

histoire musique livre comédie

La phrase : «Les lettres servent à écrire des mots comme les notes servent à écrire... de la musique» aide à trouver la réponse.

2. GRAND / PETIT § MAIGRE / ?

(se lit : «Grand» est à «petit» ce que «maigre» est à ?)

gros gentil voûté mince

Quand vous avez repéré la relation entre «grand» et «petit», vous pouvez vous dire que : «grand» est le contraire de «petit», comme «maigre» est le contraire de... «gros».

Les dix premières analogies que vous aurez à trouver se basent essentiellement sur des contraires (comme dans l'exemple 2) ou sur des similitudes de
sens, dont vous commencez à avoir l'habitude. Les vingt dernières se basent
sur des relations que vous aurez à identifier, comme dans l'exemple 1.

Durée de l'exercice : 30 minutes

1. MONTÉE / ÉLÉVATION § DESCENTE / ?
>   ondulation changement abaissement action trajet

2. DÉCÉDER / NAÎTRE § MOURIR / ?
>   arriver crier partir vivre s'endormir

3. AIGU / SOPRANO § GRAVE / ?
>   basse intermédiaire féminine opéra chanteuse

4. HISTOIRE / RÉALITÉ § CONTE / ?
>   guerre fiction légende géographie duc

5. BON / JUSTE § LIVRE / ?
>   travail méchant enfant lecture ouvrage

6. POMME / POIRE § NOIX / ?
>   cerise raisin tomate coquille noisette

7. EFFRAYER / RASSURER § PRENDRE / ?
>   ouvrir donner encourager révérer arracher

8. HOMME / FEMME § CHEVAL / ?
>   enfant vache ferme sexe jument

9. GAUCHE / MALADROIT § HABILE / ?
>   grave astuce droite avisé débutant

10. MEILLEUR / PIRE § MÊLER / ?
>   donner séparer mieux emmêler mélanger

11. CHEF / ORCHESTRE § PRÉSIDENT / ?
>   pays violoniste principal discours gens

12. ÉCURIE / CHEVAL § PORCHERIE / ?
>   mouton porc poulailler vache ferme

13. MOINEAU / PIGEON § CARPE / ?
>   mouche perruche brochet baleine chat

14. VIOLET / COULEUR § CURRY / ?
>   valeur mauve cuisine épice riz

15. LAVE / VOLCAN § EAU / ?
>   air bulle fumée montagne source

16. GLACE / FROID § DÉSERT / ?
>   loin   petit   sec   animaux   bonbon

17. BANANE / PELER § POMME DE TERRE / ?
>   manger   éplucher   frites   pomme   ramasser

18. ABOYER / CHIEN § RUGIR / ?
>   lion   serpent   meugler   mouton   miauler

19. TAILLEUR / COUD § ACTRICE / ?
>   danse   tissu   joue   coupe   parle

20. PEINE / LARMES § JOIE / ?
>   sourire   fille   dragon   rêve   plaisir

21. MAI / JUIN § OCTOBRE / ?
>   avril   juillet   novembre   décembre   août

22. FILS / PÈRE § FILLE / ?
>   cousine   femme   oncle   mère   nièce

23. ENVOYÉ / REÇU § LANCÉ / ?
>   jeté   attrapé   courrier   avalé   lu

24. ROBE / TISSU § PNEU / ?
>   manteau   voiture   cuir   caoutchouc   lisse

25. LIRE / LECTURE § SE NOURRIR / ?
>   aliments   livre   histoire   consommer   nourriture

26. PLUIE / MOUILLE § FLAMME / ?
>   feu   fond   répare   brûle   eau

27. MOTS / PHRASE § PAGES / ?
>   livre   lettres   paragraphe   lignes   histoire

28. AVION / HÉLICOPTÈRE § BARQUE / ?
>   planeur   bus   paquebot   train   vélo

29. PANSEMENT / COUPURE § FICELLE / ?
>   note   blessure   enfant   paquet   emballer

30. BLANC / NEIGE § NOIR / ?
>   vent   glace   rouge   flocons   charbon

Corrigés page 296.

Exercice n° 4

De la pensée aux mots

Vous trouverez ici un mélange de tests semblables à ceux que vous venez de faire et pour lesquels vous êtes maintenant bien entraîné.

Durée de l'exercice : 35 minutes.

1. Quel mot de 3 lettres finit le premier mot et commence le second ?

BAN . . . TE

2. Quel est l'intrus ?

a. septentrion b. nordique c. austral d. boréal e. arctique

3. Quel mot a les deux sens suivants :

feuillet   jeune garçon

4. Parmi ces mots brouillés, lequel n'est pas une partie de la maison ?

a. rum b. eeefnrt c. iott d. inehc e. tpreo

5. Quelles sont les voyelles qui permettent de compléter le mot ?

. B R . C .T

6. Quel mot peut compléter ces trois-là ?

vase   espace   huis

7. Quel est le groupe de lettres qui, mis à la suite de ceux-ci, pourrait former des mots ?

BAT . . . V . . . RAD . . . CHAP . . .

8. Quel mot peut finir le premier mot et commencer le second ?

ING ... ION

9. Quel adjectif peut qualifier ces trois mots ?

Compte   chapeau   chiffre

10. Quel mot a les deux sens suivants :

lettre   argent

11. Deux de ces mots ont un sens proche. Lesquels ?

a. façonner   b. enjoliver   c. enluminer   d. couronner   e. embellir

12. Quelles sont les voyelles qui permettent de compléter le mot ?

L . . . R

13. Parmi ces mots brouillés, lequel n'est pas un membre de la famille ?

a. nseoiuc   b. meia   c. ruseo   d. antet   e. rmee

14. Quel groupe de lettres mis à la suite de ceux-ci, pourrait former des mots ?

B .... IV .... M .... N ....

15. Quel mot peut précéder ces trois-là ?

Course   carême   clos

16. Quel mot a les deux sens suivants :

ROMAN   POIDS

17. Deux de ces mots ont un sens proche. Lesquels ?

a. sommaire   b. capricieux   c. autoritaire   d. requis   e. impérieux

18. Lequel de ces mots brouillés n'est pas un fromage ?

a. mmeebtcra   b. uelb   c. rreeyug   d. eiemrta   e. made

19. Quel mot peut précéder ces trois-là ?

Morte   propre   basse

20. Quel groupe de lettres pourrait former des mots commençant par les lettres suivantes ?

L . . .   P . . .   ACT . . .   CAM . . .

21. Quelles voyelles permettent de compléter le mot ?

P . L . T .

22. Quel mot finit le premier et commence le second ?

MAI . . . ORE

23. Quel mot a les deux sens suivants ?

LÉGUME   RAGOÛT

24. Quel mot de 3 lettres peut former de nouveaux mots s'il précède les mots suivants ?

. . . POT   . . . BUT   . . . CHER   . . . QUE

25. Quelles voyelles permettent de compléter le mot ?

. GL . S .

Corrigés page 297.

Des séries de chiffres et de lettres

Exercice n°1

Tous ces tests sont sur le même modèle : des chiffres ou des lettres vous sont présentés dans une disposition particulière. Votre tâche consiste à trouver la logique de l'ensemble afin de deviner le chiffre ou la lettre que cache le point d'interrogation.

Durée de l'exercice : 30 minutes pour les chiffres et 30 minutes pour les lettres.

Suites de chiffres

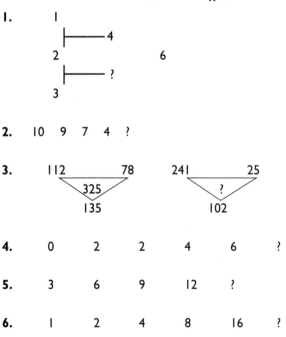

1.

1
├── 4
2   6
├── ?
3

2.   10   9   7   4   ?

3.   112 ────── 78   241 ────── 25
        ╲ 325 ╱   ╲ ? ╱
           135   102

4.   0   2   2   4   6   ?

5.   3   6   9   12   ?

6.   1   2   4   8   16   ?

7. 12   (29)   17
     23   (?)   7

8. 4   5   3   4   2   3   ?   ?

9. 10
         ├──── 3
       7   1
         ├──── ?
       5

10. 324   108   36   12   ?

11. 5   7   12   14   19   21   ?

12. 3   13   22   30   37   ?

13. 11   15   19
       3   10   6
       8   5   ?

14. 1
         ├──── 14
       6   68
         ├──── ?
       4

15. 4   6   9   13   ?

16.   9   12   17   24   ?

17.   6   12   17   20
       18   36   51   ?

18.   52   36   28   24   ?

19.   33   (12)   45
       13   (?)   58

20.   4   2   6
       7   8   15
       3   1   ?

21.   6   2   11   4   17   8   ?

22.   4   7   11   14   25   28   ?

23.   1   5   13   29   ?

24.   10   11   15   22   32   ?

25.   39   (22)   28
       6   (?)   12

26.

7	5		4	11		18	8
10	9		8	3		?	17

27.   5   5   5
       6   7   2
       0   9   ?

28.

29.

6	(12)	4
7	(?)	6

30. 20   15   3   25

Séries de lettres

31.   L   N   P   R ?

32.   R   Q   P   O ?

33.

A	B	C
E	?	G
I	J	K

34.   A1   F6   I9   P?

35.   COR est à BNQ
ce que DIS est à ?

36.   371 est à CGA
ce que 235 est à ?

37.   F   7   J   11   C   ?

38.   E   H   K   N   ?

39.   V   R   N   J   ?

40.   E   D   C
          O   N   M
          U   ?   ?

41.   T   19   P   15   M   12   Z   ?

42.   BAT est à CBU
          ce que ROI est à ?

43.   H   J   L
          L   N   P
          U   ?   ?

44.   DAME est à FCOG
          ce que CLEF est à ?

45.   AB   CE   FI   ??

46.   C   G   F   J   I   M   L   ?

47.   LJIK   ZXWY   QO ? ?

48.   D   K   E   L   F   M   G   N   ?

49.   J   C   H   E   F   G   ?

50.   Q   P   N   K   ?

Corrigés page 299.

Exercice n°2

Durée de l'exercice : 50 minutes.

1. Quelle lettre vient complèter la série ?

C   E   G   I   ?

2. Quelle lettre vient compléter la série ?

O   N   M   L   ?

3. Quel groupe de lettres suit logiquement ceux-ci ?

bcad   fgeh   ...

a. jkil   b. lijk   c. ijkl   d. kilj   e. jikl

4. Quel groupe de lettres complète ceux-ci ?

VUT

UTV

5. Quel nombre vient compléter la série ?

5   8   11   14   ?

a. 16   b. 17   c. 18   d. 19   e. 20

6. Quel nombre vient compléter la série ?

76   67   58   ?

a. 45   b. 39   c. 43   d. 47   e. 49

7. Quel nombre vient compléter la série ?

21   16   18   13   15   ?

a. 12   b. 17   c. 10   d. 9   e. 11

8. Quel nombre vient compléter la série ?

3   3   6   18   ?

a. 24   b. 30   c. 44   d. 60   e. 72

9. Quels nombres viennent compléter la série ?

3   1   6   3   12   5   ?   ?

a. 15 8   b. 24 8   c. 32 6   d. 24 7   e. 18 7

10. Quel nombre s'inscrit entre les parenthèses ?

9	22	13
12	?	15

a.27   b.33   c.17   d.42   e.24

11. Quel nombre s'inscrit entre les parenthèses ?

10	22	7
3	13	5
14	?	8

a.37   b.6   c.27   d.22   e.33

12. Quel est le nombre manquant ?

2	10	5
4	4	1
3	?	6

a.14   b. 12   c. 9   d. 21   e. 18

13. Quel est le nombre manquant ?

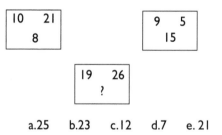

a.25   b.23   c.12   d.7   e. 21

14. Quel est le nombre manquant ?

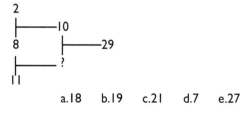

a.18   b.19   c.21   d.7   e.27

15. Quel est le nombre manquant ?

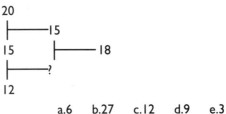

a.6   b.27   c.12   d.9   e.3

16. Quel nombre vient compléter la série ?

343   512   729   ?

a.989   b.845   c.922   d.899   e.1000

17. Quel nombre vient compléter la série ?

1440   240   48   12   ?

a.4   b.3   c.6   d.8   e.5

18. Quel est le nombre manquant ?

	18			25
2		4	6	3
7		5	10	?

a.8   b.12   c.6   d.4   e. 5

19. Quel est le chiffre manquant ?

	7			10
2		3	?	3
5		7	6	9

a.4   b.5   c.2   d.1   e.3

20. Quel chiffre vient compléter la série ?

e4   c2   h7   a?

a.25   b.3   c.0   d.10   e.1

21. Quel nombre s'inscrit dans le triangle ?

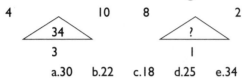

a.30   b.22   c.18   d.25   e.34

Corrigés page 302.

Des tests à base de dessins

Exercice n°1

Séries graphiques

Cet exercice se compose de trente items.

Ces suites et exercices logiques n'ont comme support que des formes géométriques et ne comportent ni chiffres ni lettres. La bonne réponse est à trouver parmi cinq proposées. Réussir cet exercice nécessite à la fois des capacités de raisonnement, de rapidité et de représentation spatiale.

Durée de l'exercice : 60 minutes.

Parmi les cinq proposés, quel est le dessin qui prolonge la série ci-dessous ?

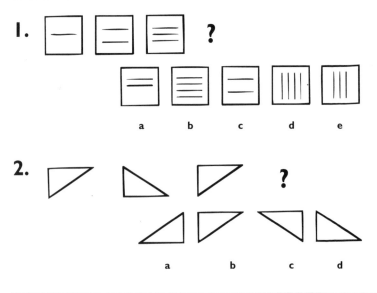

3.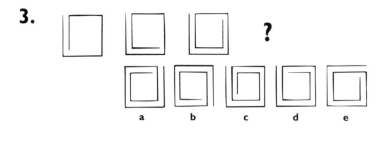

4.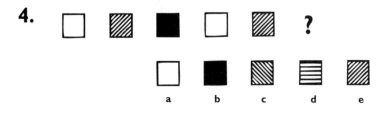

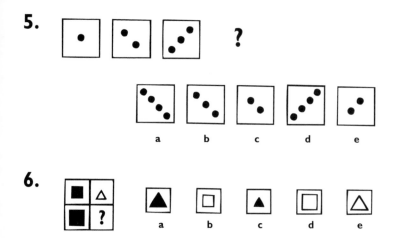

5.

6.

7.

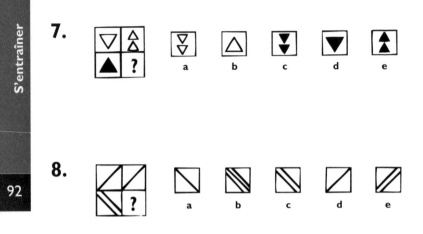

8.

9.

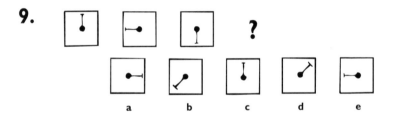

10.

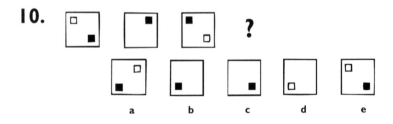

11.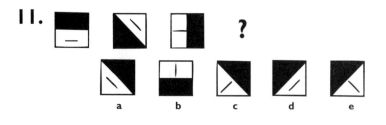

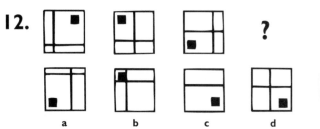

a   b   c   d   e

12. ?

a   b   c   d   e

13. ?

a   b   c   d   e

14. ?

a   b   c   d   e

15.

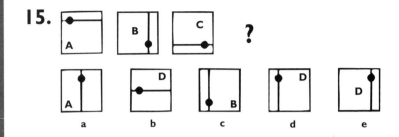

16.

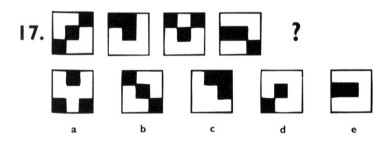

17.

Parmi les cinq proposés, quel est le dessin qui ne va pas avec les autres ?

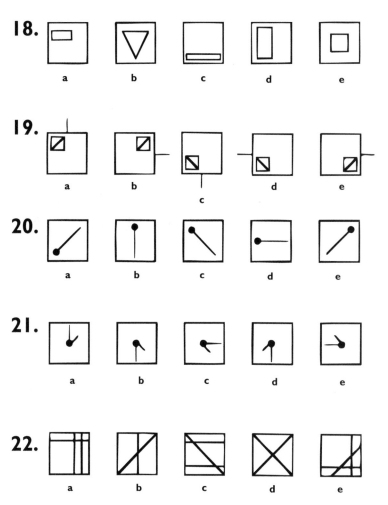

Ce dessin a été tourné sur lui-même, puis retourné recto verso.
Parmi les cinq proposés, quel dessin en est le résultat ?

23.

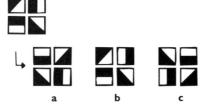

a   b   c   d   e

24.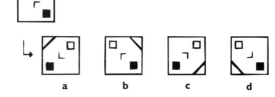

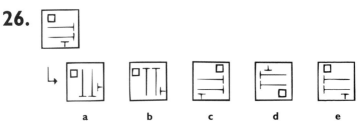

a   b   c   d   e

25.

a   b   c   d   e

26.

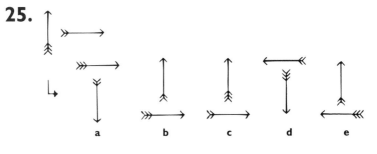

a   b   c   d   e

La consigne fait partie des dessins. Il s'agit de transposer une règle : A est à B ce que C est à ... La réponse se trouve parmi les cinq dessins proposés.

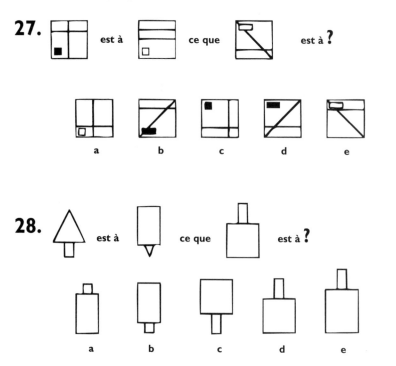

29.

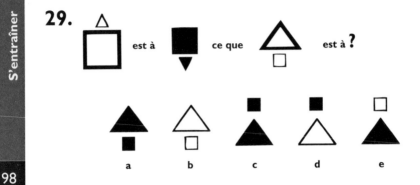

30.

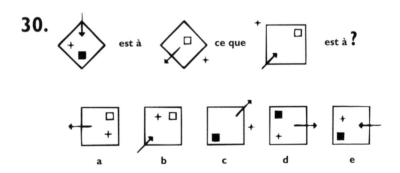

Corrigés page 304.

Exercice n°2

Matrices

Cet exercice se compose de vingt items. Chaque item se présente sous la forme d'un carré contenant huit figures géométriques réparties sur trois lignes. La figure située en bas à droite manque. Elle doit être déduite des huit figures présentes, en découvrant la loi qui les régit. Il s'agit ensuite de retrouver cette figure manquante parmi les six figures proposées sous le carré, nommées de a à f.

Durée de l'exercice : 30 minutes.

I.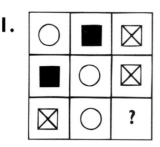

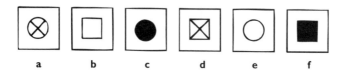

2.

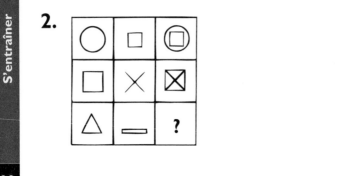

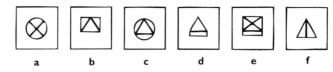

3.

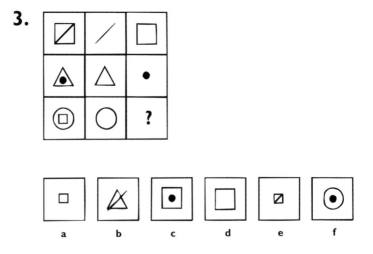

4.

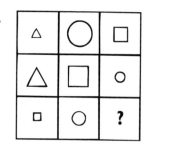

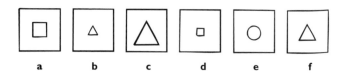

a b c d e f

5.

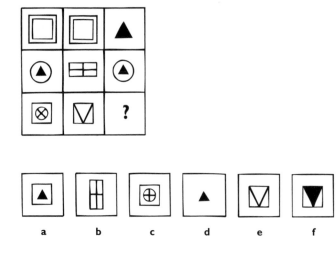

a b c d e f

6.

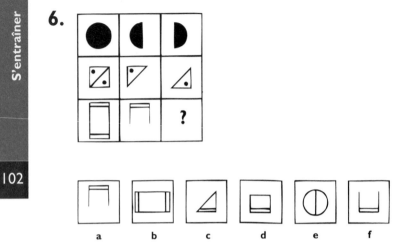

7.

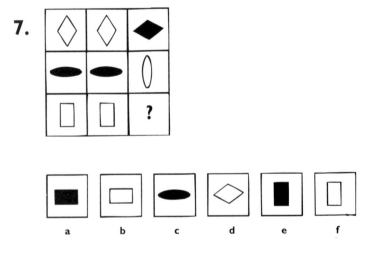

8.

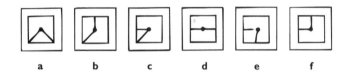

a   b   c   d   e   f

9.

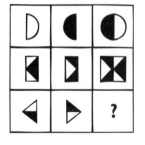

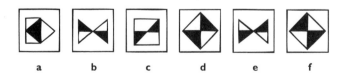

a   b   c   d   e   f

10.

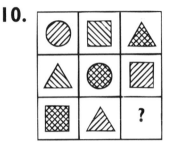

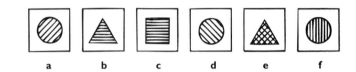

a   b   c   d   e   f

11.

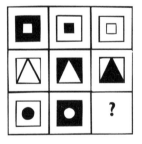

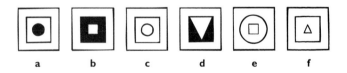

a   b   c   d   e   f

12.

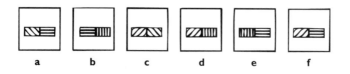

13.

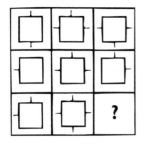

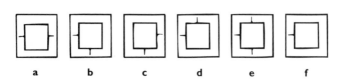

14.

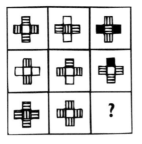

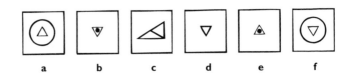

15.

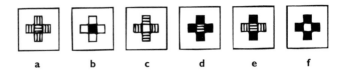

16.

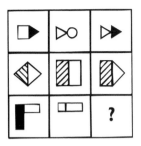

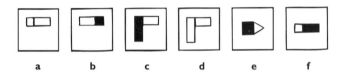

a   b   c   d   e   f

17.

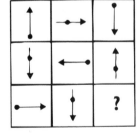

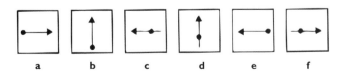

a   b   c   d   e   f

18.

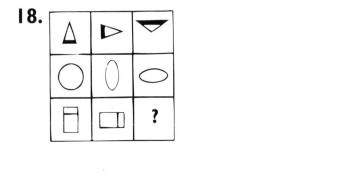

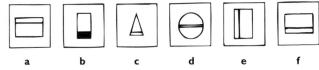

19.

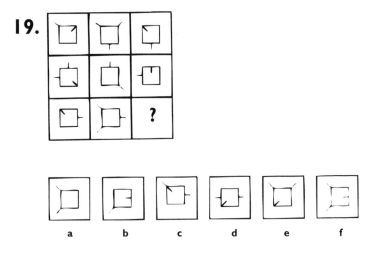

20.

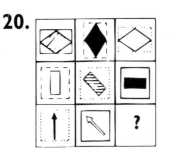

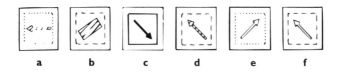

| a | b | c | d | e | f |

Corrigés page 306.

Exercice n°3

Les séries spatiales

Dans ces suites logiques, il s'agit de nouveau de réfléchir sur des dessins géométriques, mais l'exercice, quoique similaire, est un peu différent de celui des séries de dessins. Ici, il s'agit essentiellement de projeter mentalement des déplacements ou des retournements de figures. Certaines personnes n'ont aucune difficulté pour se représenter ce que donnera une figure que l'on a retournée recto verso. Pour d'autres, c'est très difficile. C'est cette compréhension des représentations dans l'espace qui est ici testée.

Durée de l'exercice : 30 minutes.

La consigne pour les 5 premières séries est la suivante : «Quelle figure, parmi les cinq proposées (de a à e), est identique à celle du haut (elle a été pivotée)?»

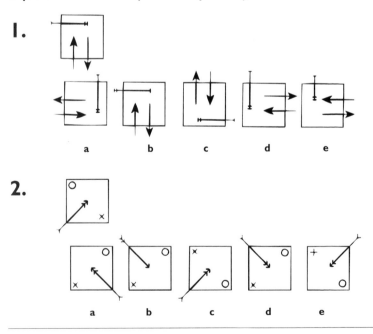

3.

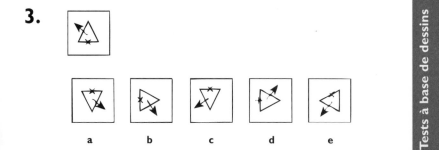

a b c d e

4.

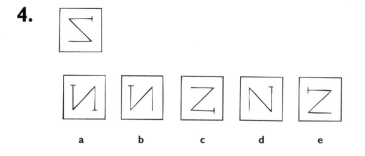

a b c d e

5.

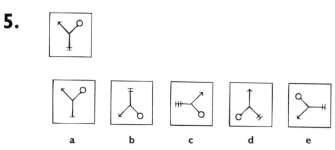

a b c d e

La consigne pour les figures n° 6 à 10 est la suivante : «La figure du haut a été pivotée puis retournée recto verso. Quel est le résultat parmi les cinq figures proposées (de a à e)?»

6.

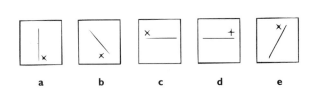

a   b   c   d   e

7.

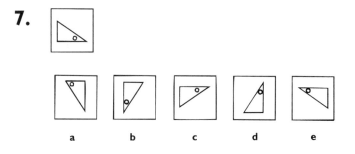

a   b   c   d   e

8.

a   b   c   d   e

9.

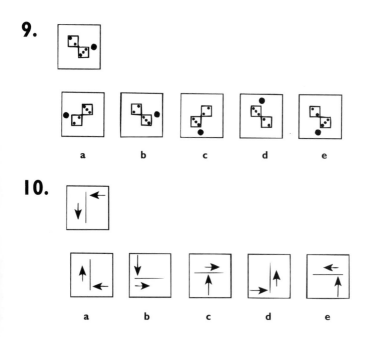

a   b   c   d   e

10.

a   b   c   d   e

La consigne pour les figures n° 11 à 15 est la suivante :
«Combien ce solide a-t-il de faces?»

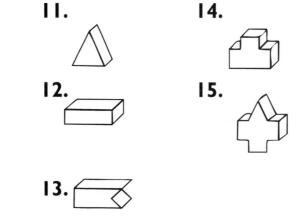

11.

14.

12.

15.

13.

La consigne pour les séries n° 16 à 20 est la suivante : «Quelle figure diffère des trois autres quant à la position du point?»

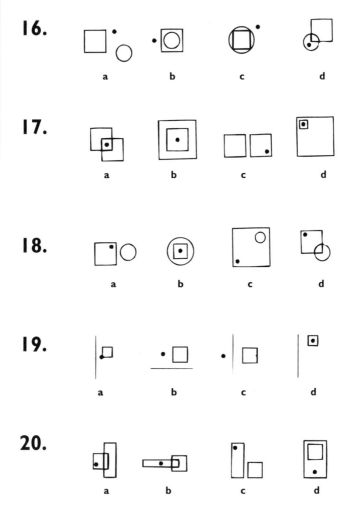

16.

a   b   c   d

17.

a   b   c   d

18.

a   b   c   d

19.

a   b   c   d

20.

a   b   c   d

Corrigés page 310.

Des tests à base de cartes à jouer

Exercice n° 1

Cet exercice est composé de vingt items. Chacun représente un groupe de cartes à jouer. Les quatre couleurs sont représentées (pique, cœur, carreau et trèfle), mais les valeurs des cartes ne vont que de un à dix (l'as compte pour un et les figures sont exclues).

Dans chaque groupe de cartes, l'une n'est pas représentée. Vous devez deviner à la fois la valeur et la couleur de la carte manquante en fonction de la position et des caractéristiques des autres cartes.

Durée de l'exercice : 30 minutes.

1.

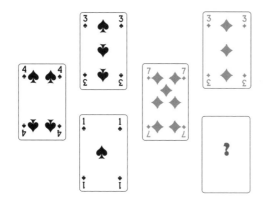

2.

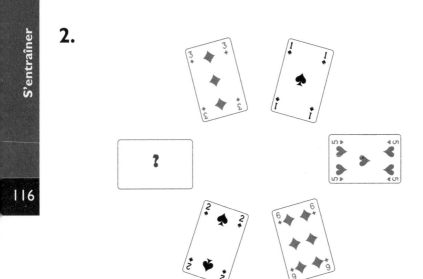

3.

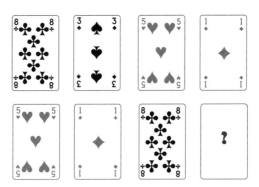

4.

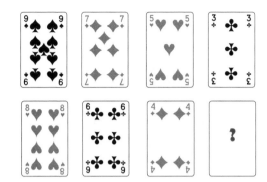

5.

6.

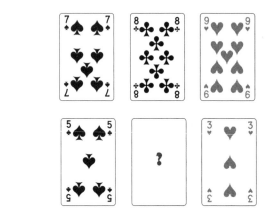

7.

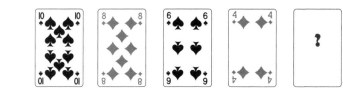

8.

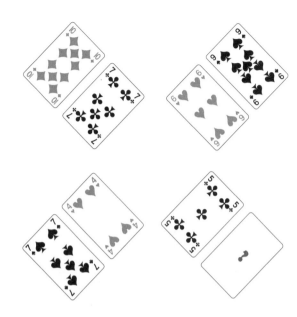

9.

10.

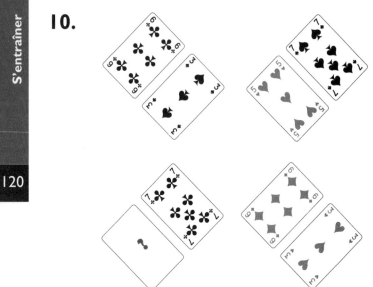

11.

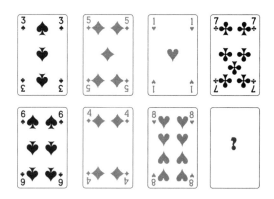

12.

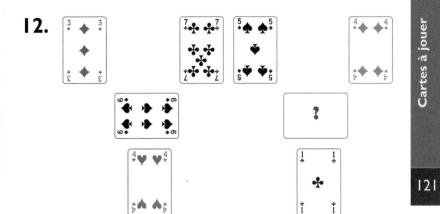

13.

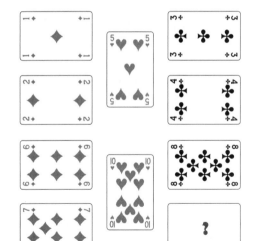

14.

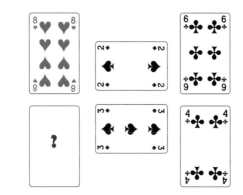

15.

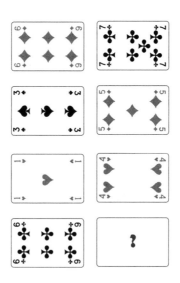

16.

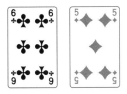

17.

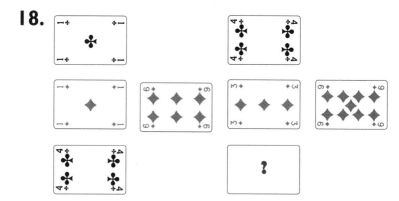

18.

19.

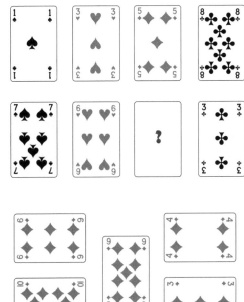

20.

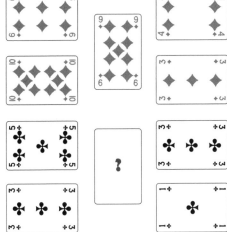

Corrigés page 311.

Exercice n°2

Une carte manque à chaque groupe. Vous allez devoir deviner sa couleur et sa valeur. Pour cela, vous allez vous aider de la disposition et des caractéristiques des autres cartes. Parfois les cartes sont de valeurs croissantes ou décroissantes, parfois elles s'additionnent deux à deux, d'autres fois encore les cartes sont les mêmes sur les deux lignes ou les deux colonnes, mais en ordre différent. Les systèmes sont variés, mais toujours assez simples. A vous de repérer le système logique de chaque groupe de cartes et d'identifier celle qui manque.

Durée de l'exercice : 20 minutes.

I.

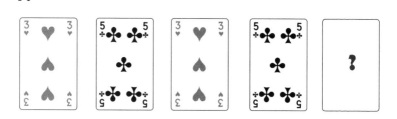

2.

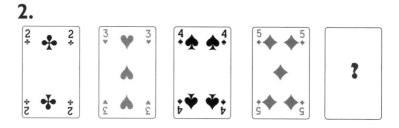

3.

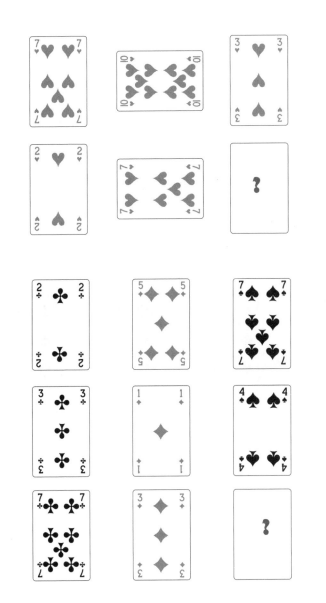

4.

5.

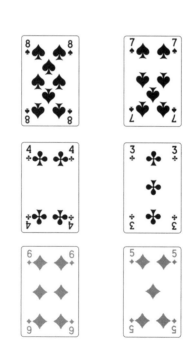

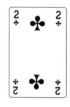

6.

7.

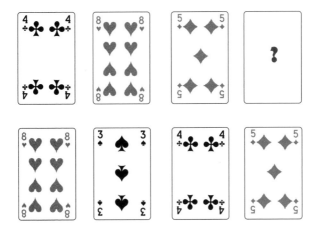

8.

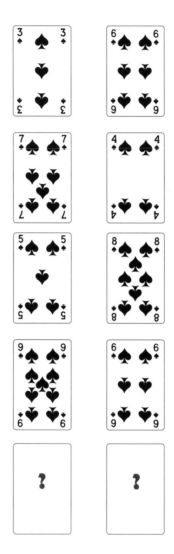

9.

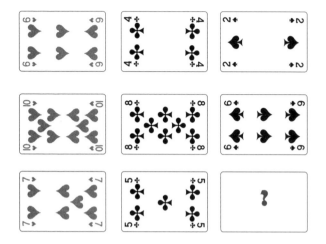

10.

11.

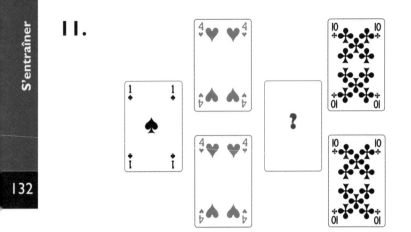

12.

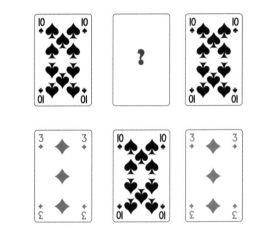

13.

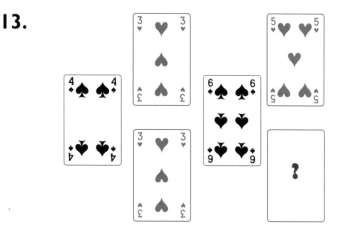

14.

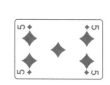

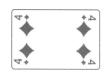

15.

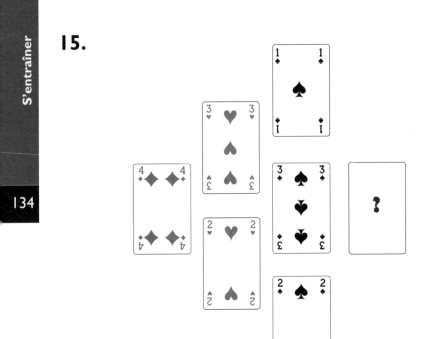

Corrigés page 318.

Des tests à base de dominos

Exercice n° 1

Cet exercice est composé de trente items. Chaque item représente un groupe de dominos, dont l'un, masqué, est à deviner. Rappelons que chaque moitié de domino peut prendre une valeur allant de zéro à six, qui correspond au nombre de points dessinés.

Quand les valeurs se suivent, c'est la valeur zéro qui suit la valeur six. L'ordre est donc : 0 1 2 3 4 5 6 0 1 2 3 … En ordre inverse (décroissant), c'est le six qui suit le zéro.

Durée de l'exercice : 40 minutes.

1.
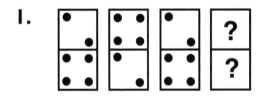

2.
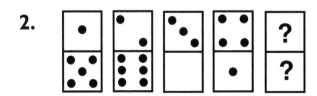

3.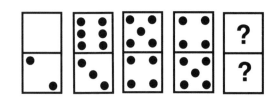

4.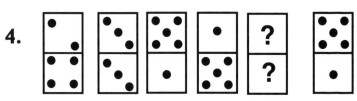

5.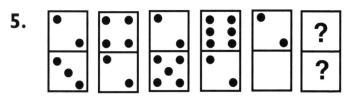

6.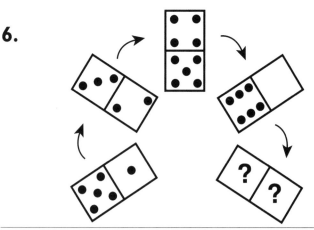

7.

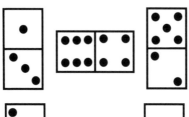

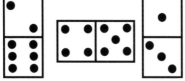

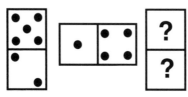

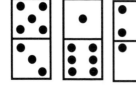

8.

9.

10.

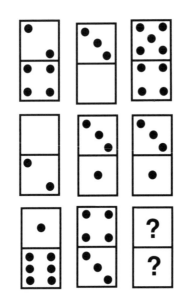

11.

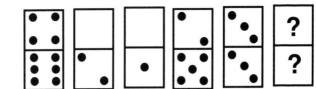

12.

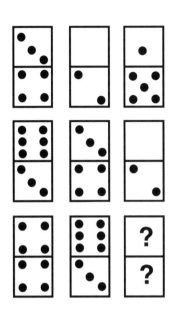

13.

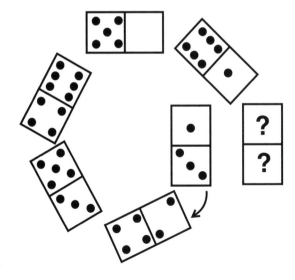

14.

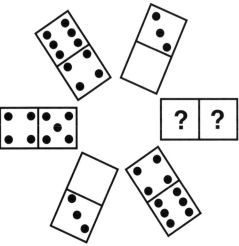

15.

16.

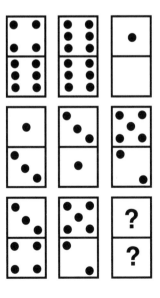

17.

18.

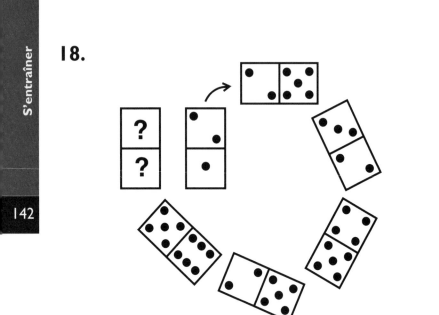

19.

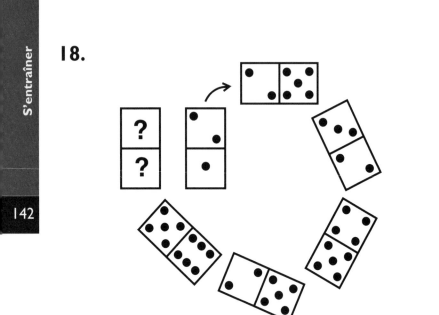

20.

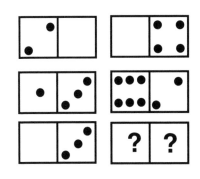

21.

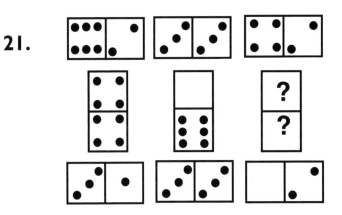

22.

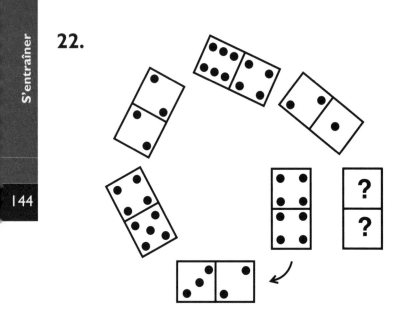

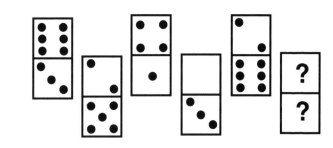

23.

24.

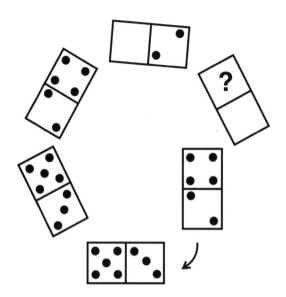

25.

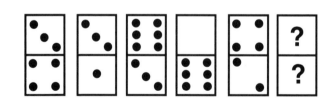

26.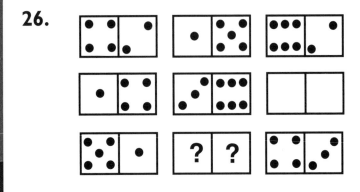

27.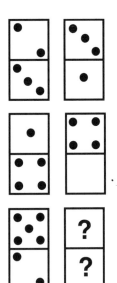

28.

29.

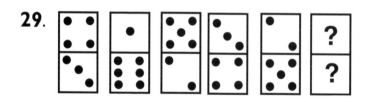

30.

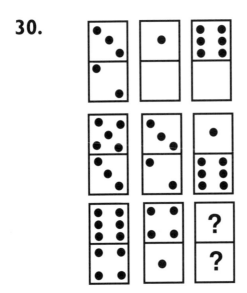

Corrigés page 320.

Exercice n°2

Voici de nouvelles séries de dominos semblables aux précédentes.

Durée de l'exercice : 30 minutes.

1.

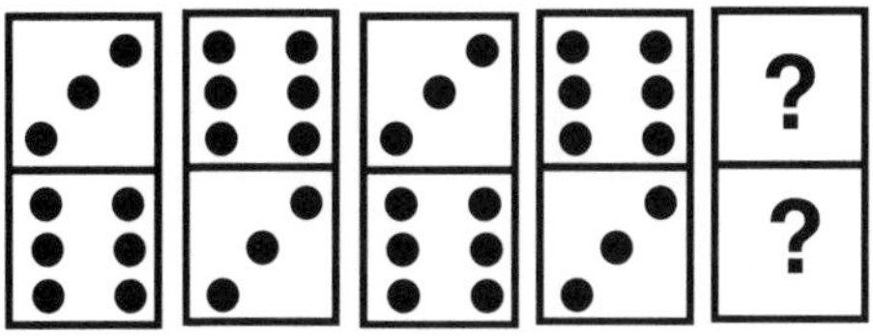

2.

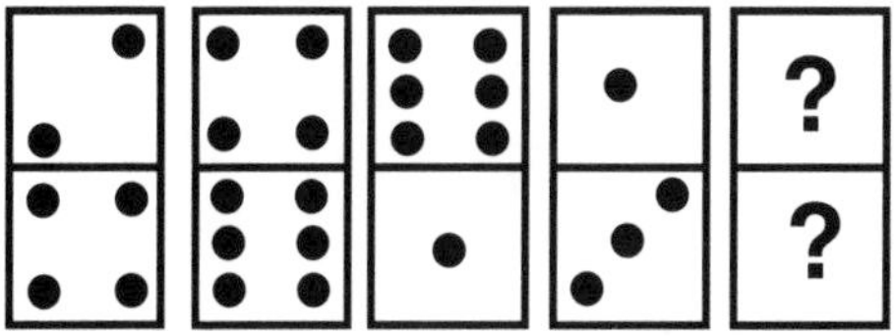

3.

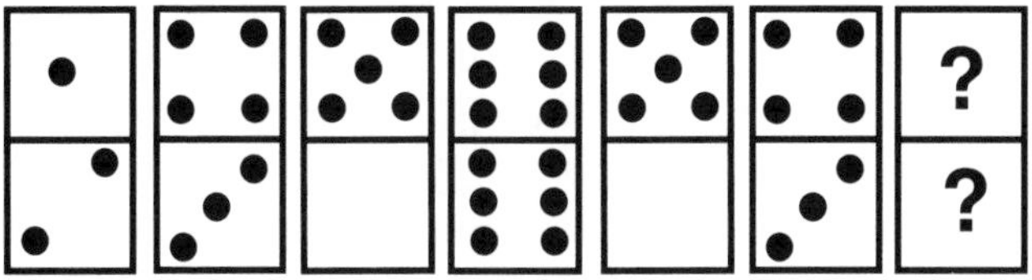

4.

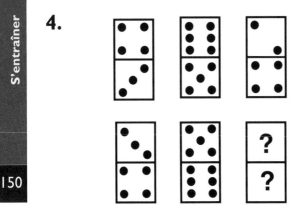

5.

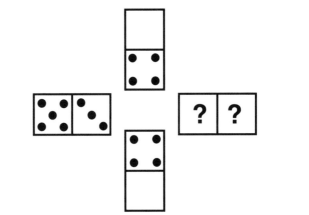

6.

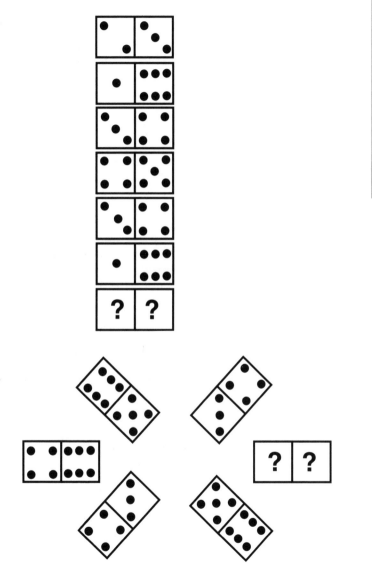

7.

8.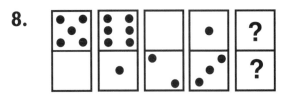

9.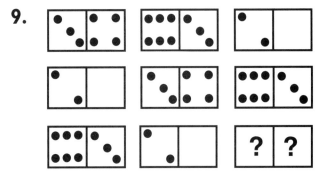

10.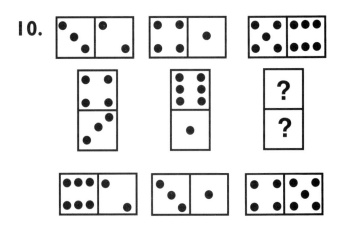

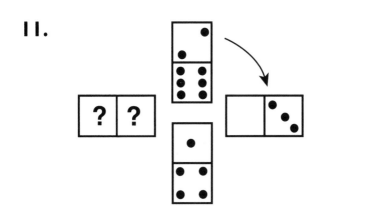

11.

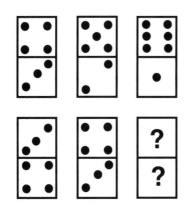

12.

13.

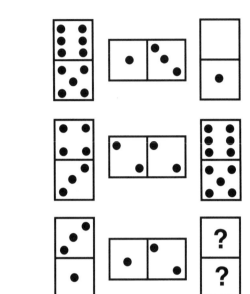

14.

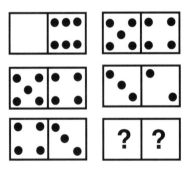

15.

16.

17.

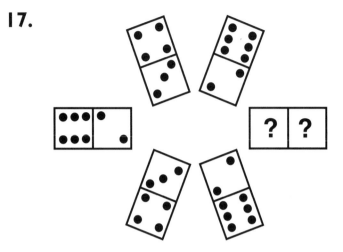

18.

19.

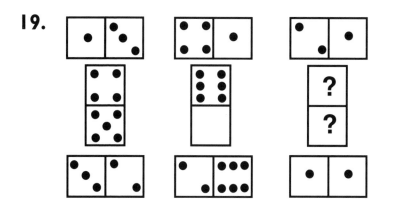

20.

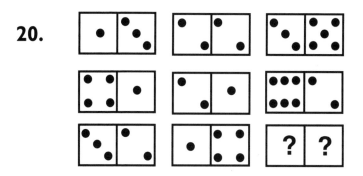

Corrigés page 325.

Chapitre 3

Tests pour progresser

Test 1

Ce test, plutôt facile, n'est pas en temps limité.

1. Quelle figure, parmi les 6 proposées, vient continuer la série ?

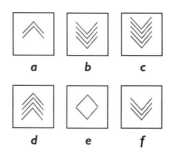

2. Quelle figure, parmi les 6 proposées, vient continuer le carré ?

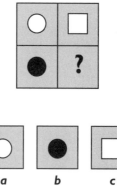

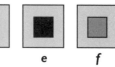

3. Quelle figure, parmi les 6 proposées, vient continuer la série ?

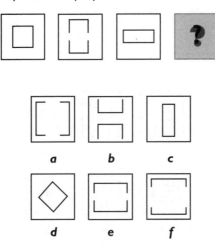

4. Voici une série de dominos. Chaque côté d'un domino peut compter entre 0 et 6 points. A vous de retrouver les valeurs manquantes.

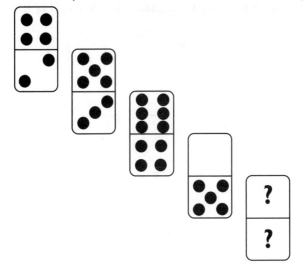

5. Quelle figure, parmi les 6 proposées, vient continuer la série ?

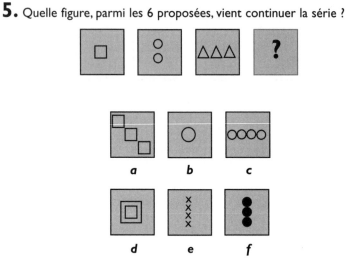

6. Quelle figure, parmi les 6 proposées, vient continuer la série ?

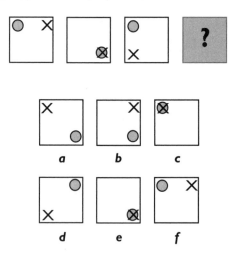

7. Quel mot ne va pas avec les autres ?

**a) accorder b) permettre c) patienter
d) consentir e) autoriser f) tolérer**

8. Quelle figure, parmi les 6 proposées, vient compléter le grand carré ?

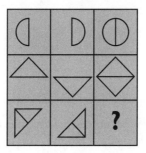

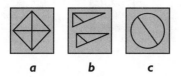

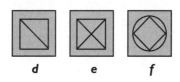

9. Quel mot prolonge la série ?

Amour   Baiser   Caresse   Douceur   ?

a) tendresse   b) câlin   c) envie

d) désir   e) beauté

10. Parmi les 5 figures proposées, laquelle ne va pas avec les 4 autres ?

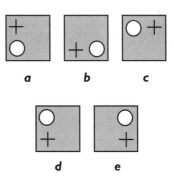

a   *b*   *c*

d   *e*

11. Parmi les 5 figures proposées, pouvez-vous trouver celle qui remplace le point d'interrogation ?

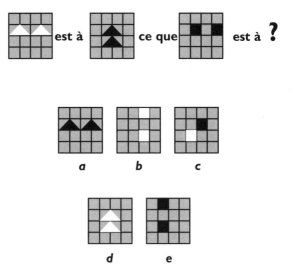

est à   ce que   est à **?**

a   *b*   *c*

d   *e*

12. Quelle figure, parmi les 6 proposées, vient continuer la série ?

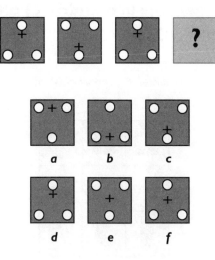

a   b   c

d   e   f

13. Quelle figure, parmi les 6 proposées, vient continuer la série ?

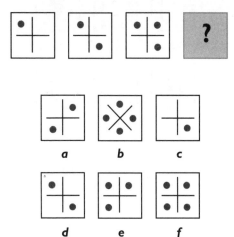

a   b   c

d   e   f

14. Quel mot ne va pas avec les autres ?

**a) terrifier b) surprendre c) effrayer
d) apeurer e) épouvanter f) terroriser**

15. Quelle figure, parmi les 6 proposées, vient compléter le grand carré ?

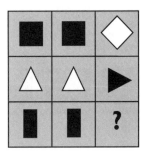

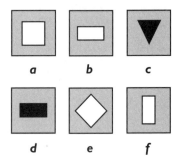

16. Mots brouillés : pour répondre à la question, efforcez-vous de remettre en ordre les lettres de chaque mot. Lequel de ces mots n'est pas une couleur ?

a) soer b) needtr c) anrmro d) gisr

17. Quelle figure, parmi les 6 proposées, vient continuer la série ?

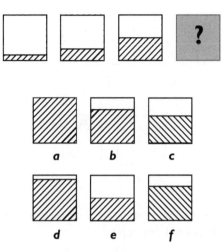

18. Voici une série de dominos. Chaque côté d'un domino peut compter entre 0 et 6 points. A vous de retrouver les valeurs manquantes.

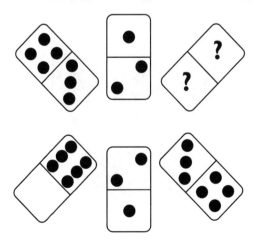

19. Parmi les 5 figures proposées, laquelle ne va pas avec les autres ?

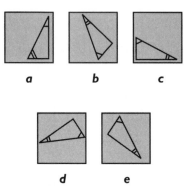

a   *b*   *c*

d   *e*

20. Parmi les 5 figures proposées, pouvez-vous trouver celle qui remplace le point d'interrogation ?

est à   ce que   est à **?**

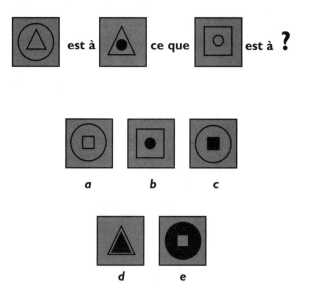

a   *b*   *c*

d   *e*

21. Quelle figure, parmi les 6 proposées, vient continuer la série ?

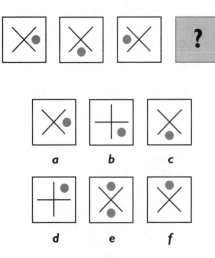

22. Quelle figure, parmi les 6 proposées, vient continuer la série ?

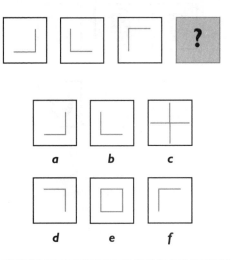

23. Quel mot prolonge la série ?

Luc est à Pia
ce que Kevin est à Léone
et ce que Jean est à ?

a) Brigitte b) France c) Martine

d) Laure e) Adeline f) Anne

24. Quelle figure, parmi les 6 proposées, vient compléter le grand carré ?

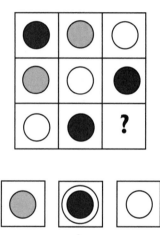

25. Mots brouillés : pour répondre à la question, efforcez-vous de remettre en ordre les lettres de chaque mot. Lequel de ces mots n'est pas un instrument de musique ?

a) euogr b) raeph c) attubeor d) naiop

26. Quelle figure, parmi les 6 proposées, vient continuer la série ?

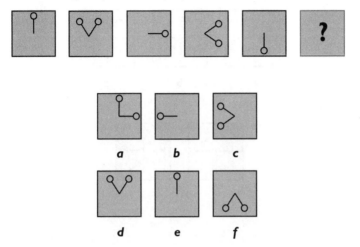

a   b   c

d   e   f

27. Voici une série de dominos. Chaque côté d'un domino peut compter entre 0 et 6 points. A vous de retrouver les valeurs manquantes.

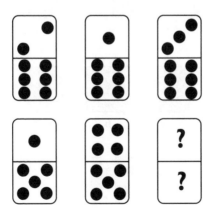

28. Parmi les 5 figures proposées, laquelle ne va pas avec les autres ?

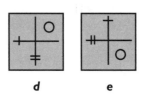

a   *b*   *c*

d   *e*

29. Parmi les 5 figures proposées, pouvez-vous trouver celle qui remplace le point d'interrogation ?

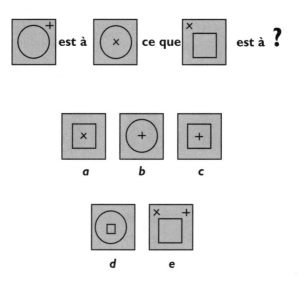

est à ... ce que ... est à **?**

a   *b*   *c*

d   *e*

30. Quelle figure, parmi les 6 proposées, vient continuer la série ?

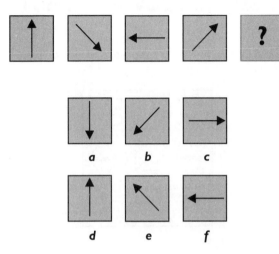

a   b   c

d   e   f

31. Quelle figure, parmi les 6 proposées, vient continuer la série ?

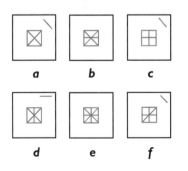

a   b   c

d   e   f

32. Quel mot peut précéder ?

...SEL ...ŒUVRE ...MOT

33. Quelle figure, parmi les 6 proposées, vient compléter le grand carré ?

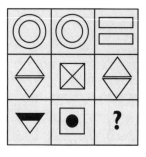

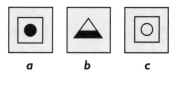

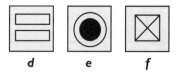

34. Mots brouillés : pour répondre à la question, efforcez-vous de remettre en ordre les lettres de chaque mot. Qui, parmi ces personnes, ne fait pas partie de la famille ?

a) enclo b) emrè c) sfli d) niiovs

35. Quelle figure, parmi les 6 proposées, vient continuer la série ?

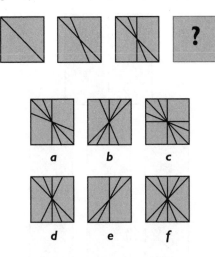

36. Voici une série de dominos. Chaque côté d'un domino peut compter entre 0 et 6 points. A vous de retrouver les valeurs manquantes.

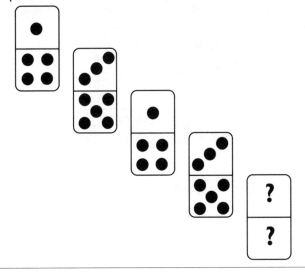

37. Quelle figure, parmi les 6 proposées, vient compléter le carré ?

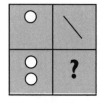

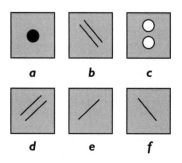

38. Voici une série de dominos. Chaque côté d'un domino peut compter entre 0 et 6 points. A vous de retrouver les valeurs manquantes.

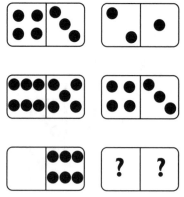

Corrigés page 327.

Test 2

Ce test, de difficulté moyenne, n'est pas en temps limité.

1. Quelle figure, parmi les 6 proposées, vient prolonger la série ?

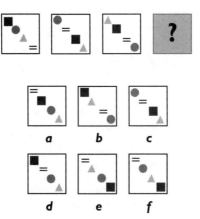

2. Parmi les 6 figures proposées, laquelle vient compléter le carré ?

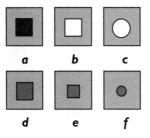

3. Quelle figure, parmi les 6 proposées, vient compléter la série ?

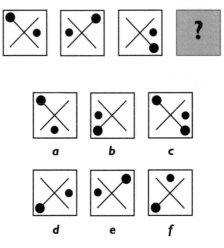

a   b   c

d   e   f

4. Voici une série de dominos. Chaque côté d'un domino peut compter entre 0 et 6 points. A vous de retrouver les valeurs manquantes.

5. Quelle figure, parmi les 6 proposées, vient compléter la série ?

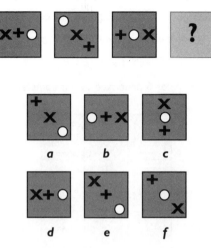

6. Quelle figure, parmi les 6 proposées, vient compléter la série ?

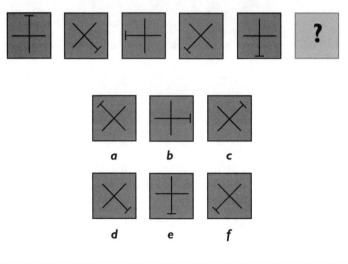

7. Quel mot ne va pas avec les autres ?

a) se figurer   b) s'imaginer   c) conjecturer
d) spéculer   e) savoir   f) supposer

8. Quelle figure, parmi les 6 proposées, vient compléter le grand carré ?

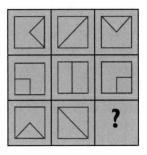

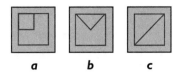

a   b   c

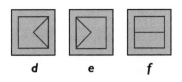

d   e   f

9. Mots brouillés : pour répondre à la question, efforcez-vous de remettre en ordre les lettres de chaque mot. Lequel de ces pays n'est pas situé en Europe ?

a) GLUIQEEB   b) OIHEEPTI   c) EENROGV
d) LORPAGUT   e) NACFER

Test 2

10. Parmi les 7 figures proposées, quelles sont les 2 qui ne vont pas avec les 5 autres ?

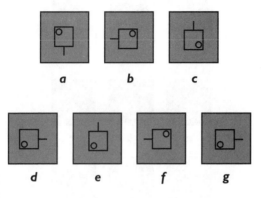

181

11. Voici des séries de dominos. Chaque côté d'un domino peut compter entre 0 et 6 points. A vous de retrouver les valeurs manquantes.

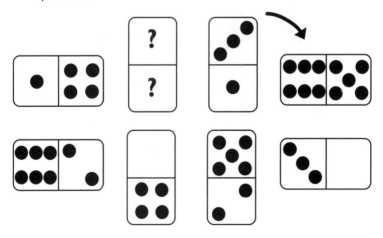

12. Quelle figure, parmi les 6 proposées, vient compléter la série ?

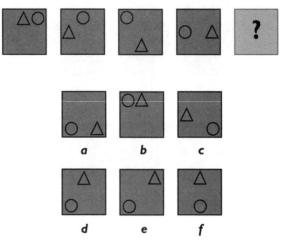

13. Quelle figure, parmi les 6 proposées, vient compléter la série ?

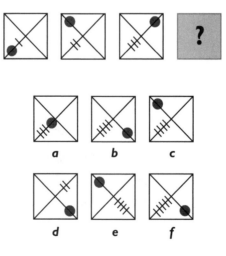

14. Quel mot ne va pas avec les autres ?

> a) embrocher b) cribler c) empaler
>
> d) enfiler e) transpercer f) traverser

15. Quelle figure, parmi les 6 proposées, vient compléter le grand carré ?

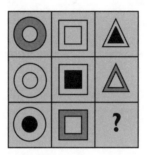

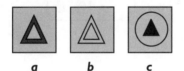

a   b   c

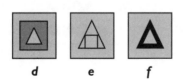

d   e   f

16. Quel mot peut précéder ?

NOIR - CONCLU - À TERME

17. Parmi les 5 figures proposées, quelle est celle qui ne va pas avec les 4 autres ?

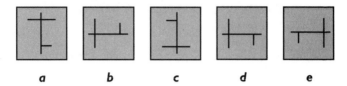

a   *b*   *c*   *d*   *e*

18. Voici une série de dominos. Chaque côté d'un domino peut compter entre 0 et 6 points. A vous de retrouver les valeurs manquantes.

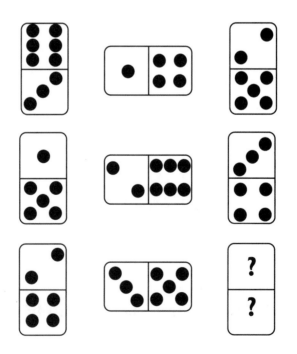

19. Quelle figure, parmi les 6 proposées, vient compléter la série ?

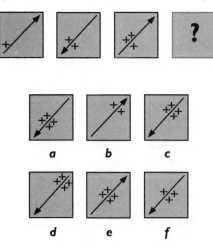

a b c

d e f

20. Parmi les 5 figures proposées, pouvez-vous trouver celle qui remplace le point d'interrogation ?

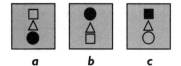

est à ___ ce que ___ est à **?**

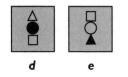

a b c

d e

21. Quelle figure, parmi les 6 proposées, vient compléter la série ?

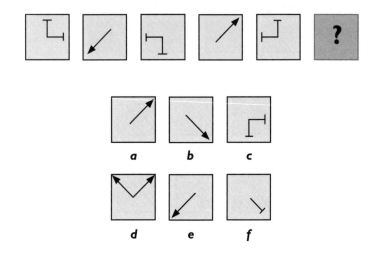

22. Parmi les 5 figures proposées, pouvez-vous trouver celle qui remplace le point d'interrogation ?

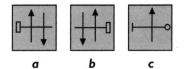

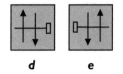

23. **Mots brouillés** : pour répondre à la question, efforcez-vous de remettre en ordre les lettres de chaque mot. Lequel de ces mots n'est pas une fleur ?

a) pieult   *b) tvtleeoi*   *c) lsesreaco*   *d) lulaige*   *e) esor*

24. Quelle figure, parmi les 6 proposées, vient compléter le grand carré ?

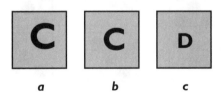

A	C	B
C	B	A
B	A	?

C	C	D
a	*b*	*c*

25. Quel mot prolonge la série ?

Léo   **Jean**   **Marie**   **Louise**   **Martine**   **?**

    a) **François**   b) **Paul**   c) **Geneviève**

      d) **Léon**   e) **Claire**   f) **Raoul**

26. Parmi les 5 figures proposées, quelle est celle qui ne va pas avec les 4 autres ?

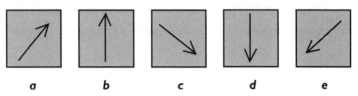

a   *b*   *c*   *d*   *e*

27. Voici une série de dominos. Chaque côté d'un domino peut compter entre 0 et 6 points. A vous de retrouver les valeurs manquantes.

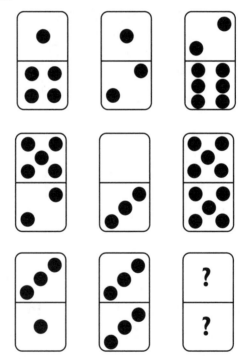

28. Parmi les 5 figures proposées, pouvez-vous trouver celle qui remplace le point d'interrogation ?

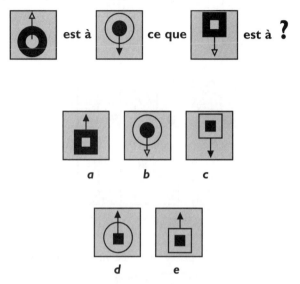

29. Quelle figure, parmi les 6 proposées, vient compléter la série ?

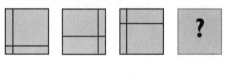

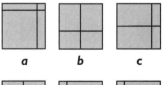

30. Quelle figure, parmi les 6 proposées, vient compléter la série ?

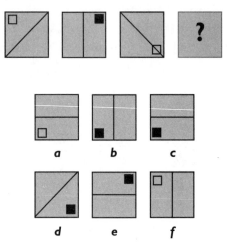

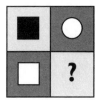

a   b   c

d   e   f

31. Parmi les 6 figures proposées, laquelle vient compléter le carré ?

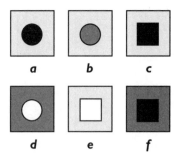

a   b   c

d   e   f

32. Trouvez l'intrus :

**a) immonde   b) immobile   c) immangeable
d) immature   e) immanent   f) immoral**

33. Quelle figure, parmi les 6 proposées, vient compléter le grand
carré ?

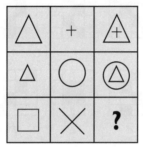

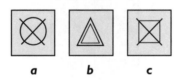

a   b   c

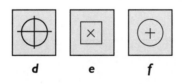

d   e   f

34. Mots brouillés : pour répondre à la question, efforcez-vous de
remettre en ordre les lettres de chaque mot. Lequel parmi ces
animaux n'est pas un mammifère ?

a) drraen   b) raddamoire   c) nootmu

d) draanc   e) tahc

35. Quelle figure, parmi les 6 proposées, vient compléter la série ?

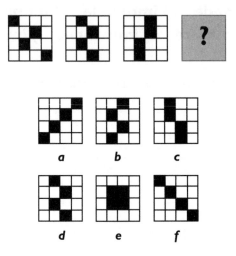

a   *b*   *c*

d   *e*   *f*

36. Parmi les 6 figures proposées, laquelle vient compléter le carré ?

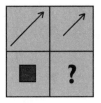

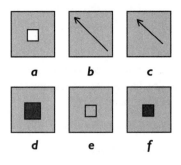

a   *b*   *c*

d   *e*   *f*

37. Parmi les 6 figures proposées, laquelle vient compléter le carré ?

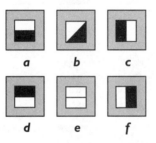

38. Voici une série de dominos. Chaque côté d'un domino peut compter entre 0 et 6 points. A vous de retrouver les valeurs manquantes.

Corrigés page 330.

Test 3

Ce test, plutôt difficile, n'est pas en temps limité.

1. Quelle figure, parmi les 6 proposées, vient prolonger la série ?

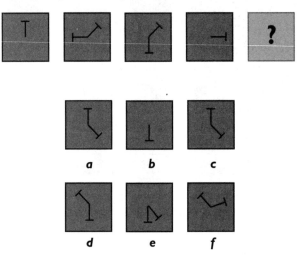

2. Parmi les 7 figures proposées, quelles sont les 2 qui ne vont pas avec les 5 autres ?

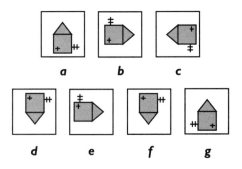

3. Parmi les 7 figures proposées, quelles sont les 2 qui ne vont pas avec les 5 autres ?

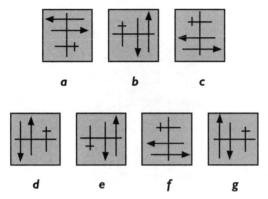

a   b   c

d   e   f   g

4. Voici une série de dominos. Chaque côté d'un domino peut compter entre 0 et 6 points. A vous de retrouver les valeurs manquantes.

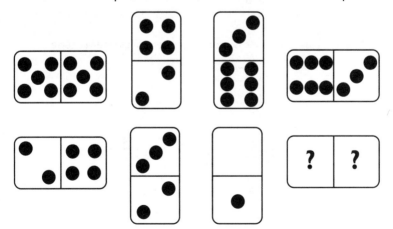

5. Parmi les 6 figures proposées, laquelle vient compléter le grand carré ?

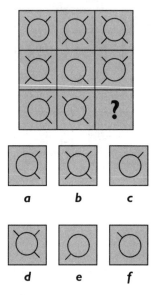

a   b   c

d   e   f

6. Quelle figure, parmi les 6 proposées, vient prolonger la série ?

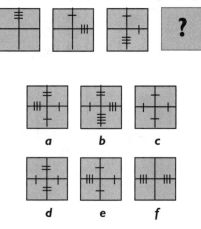

a   b   c

d   e   f

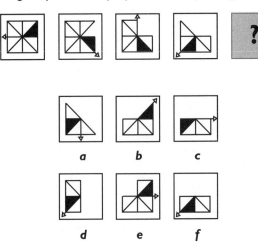

7. Quelle figure, parmi les 6 proposées, vient prolonger la série ?

a *b* *c*

d *e* *f*

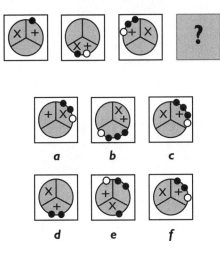

8. Quelle figure, parmi les 6 proposées, vient prolonger la série ?

a *b* *c*

d *e* *f*

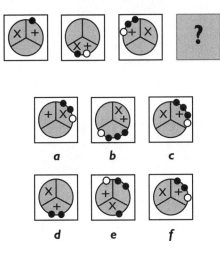

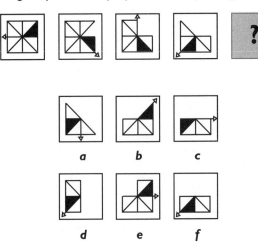

9. Quelle figure, parmi les 6 proposées, vient prolonger la série ?

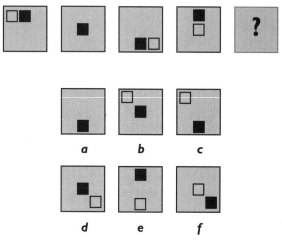

10. Parmi les 6 figures proposées, laquelle vient compléter le carré ?

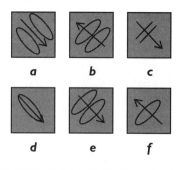

11. Quelle figure, parmi les 6 proposées, vient prolonger la série ?

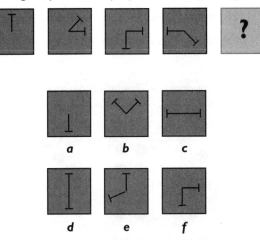

 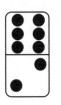 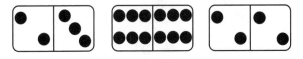

a   b   c

d   e   f

12. Voici une série de dominos. Chaque côté d'un domino peut compter entre 0 et 6 points. A vous de retrouver les valeurs manquantes.

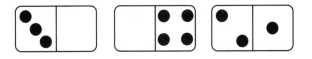

13. Quel mot ne va pas avec les autres ?

a) pinéale b) lacrymale c) fémorale

d) sébacée e) salivaire f) thyroïde

14. Voici une série de dominos. Chaque côté d'un domino peut compter entre 0 et 6 points. A vous de retrouver les valeurs manquantes.

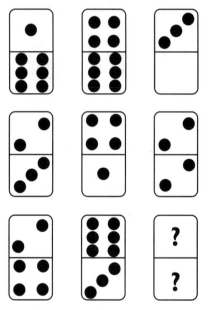

15. Mots brouillés : pour répondre à la question, efforcez-vous de remettre en ordre les lettres de chaque mot. Lequel parmi ces animaux n'est pas un oiseau ?

a) lerem b) teriotel c)gionep

d) solonisgr e) cetobrh

16. Quelle figure, parmi les 6 proposées, vient prolonger la série ?

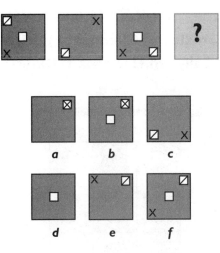

a   b   c

d   e   f

17. Parmi les 5 figures proposées, pouvez-vous trouver celle qui remplace le point d'interrogation ?

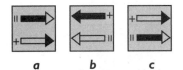

a   b   c

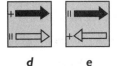

d   e

18. Quel mot prolonge la série ?

Lucien   Marie   Médée   Jérôme   Véronique   ?

a) **Camille**   b) **Clément**   c) **Brigitte**
d) **Sally**   e) **Hadrien**   f) **Dimitri**

19. Parmi les 6 figures proposées, laquelle vient compléter le grand carré ?

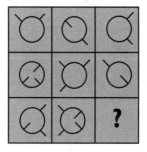

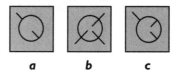

a   *b*   *c*

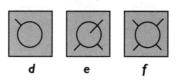

d   *e*   *f*

20. Quel mot ne va pas avec les autres ?

a) *bar*   b) *thon*   c) *loup*
d) *merlan*   e) *sardine*   f) *brochet*

21. Parmi les 7 figures proposées, quelles sont les 2 qui ne vont pas avec les 5 autres ?

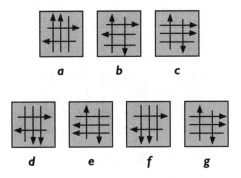

22. Voici une série de dominos. Chaque côté d'un domino peut compter entre 0 et 6 points. A vous de retrouver les valeurs manquantes.

23. Quelle figure, parmi les 6 proposées, vient prolonger la série ?

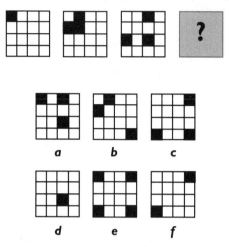

24. Parmi les 5 figures proposées, pouvez-vous trouver celle qui remplace le point d'interrogation ?

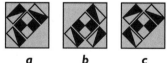

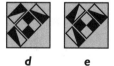

25. **Mots brouillés :** pour répondre à la question, efforcez-vous de remettre en ordre les lettres de chaque mot. Laquelle de ces villes n'est pas en France ?

a) RAIPS   b) JINDO   c) GIMELOS
d) GARPEU   e) GARERECB

26. Parmi les 6 figures proposées, laquelle vient compléter le grand carré ?

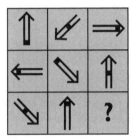

a   b   c

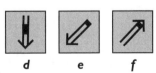

d   e   f

27. Quel mot prolonge la série ?

utile   dangereux   triste   quotidien   compliqué   ?

a) silencieux   b) niais   c) pauvre

d) humide   e) doux   f) violent

28. Quelle figure, parmi les 6 proposées, vient prolonger la série ?

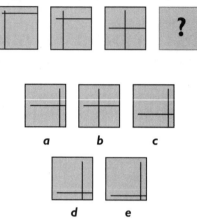

a   *b*   *c*

d   *e*

29. Voici une série de dominos. Chaque côté d'un domino peut compter entre 0 et 6 points. A vous de retrouver les valeurs manquantes.

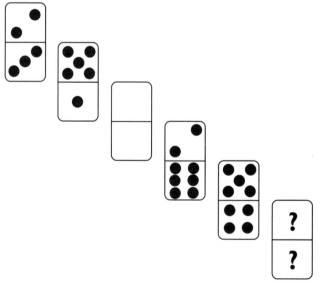

30. Quelle figure, parmi les 6 proposées, vient prolonger la série ?

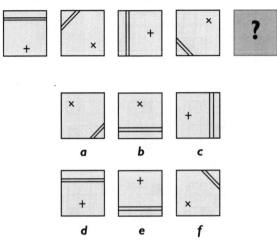

31. Parmi les 6 figures proposées, laquelle vient compléter le carré ?

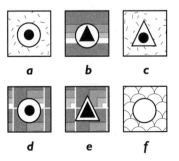

32. Quelle figure, parmi les 6 proposées, vient prolonger la série ?

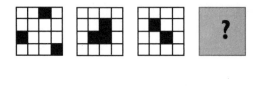

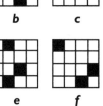

a   *b*   *c*

d   *e*   *f*

33. Quelle figure, parmi les 6 proposées, vient prolonger la série ?

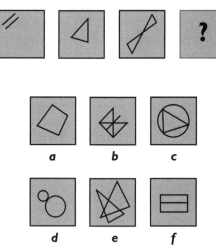

a   *b*   *c*

d   *e*   *f*

34. Quel mot peut précéder ?

LIT   CHEF   FEU

35. Parmi les 6 figures proposées, laquelle vient compléter le grand carré ?

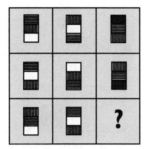

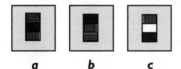

a   b   c

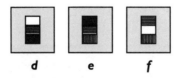

d   e   f

36. Mots brouillés : pour répondre à la question, efforcez-vous de remettre en ordre les lettres de chaque mot. Lequel de ces écrivains est une femme ?

a) SURPTO   b) NETIOB   c) LOTRGU

d) NIVA   e) NNOCRI

37. Quelle figure, parmi les 6 proposées, vient prolonger la série ?

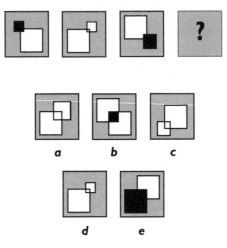

a   *b*   *c*

d   *e*

38. Parmi les 5 figures proposées, pouvez-vous trouver celle qui remplace le point d'interrogation ?

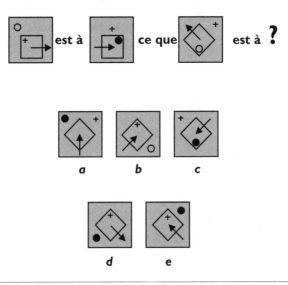

est à ... ce que ... est à **?**

a   *b*   *c*

d   *e*

39. Quelle figure, parmi les 6 proposées, vient prolonger la série ?

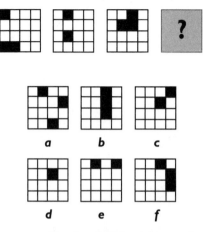

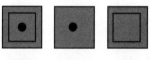

a   b   c

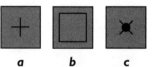

d   e   f

40. Quelle figure, parmi les 6 proposées, vient prolonger la série ?

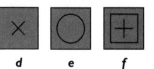

Corrigés page 334.

Chapitre 4

Tester son QI

Test 1

Durée du test : 1 heure.

1. Essayez de résoudre cette analogie :

LAVE est à **VOLCAN** ce que **EAU** est à **?**

a. glace   *b. montagne*   *c. vallée*

d. cheminée   *e. source*

2. Quel est le domino manquant ?

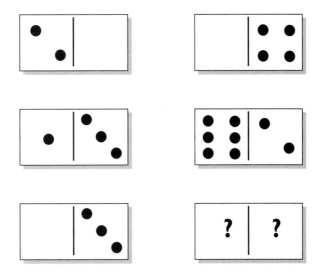

3. Trouvez deux mots qui se prononcent et s'écrivent pareillement, et qui signifient :

une entaille / le courage

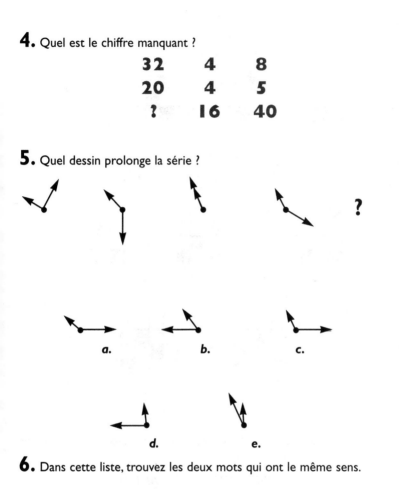

4. Quel est le chiffre manquant ?

32	4	8
20	4	5
?	16	40

5. Quel dessin prolonge la série ?

?

a.

b.

c.

d.

e.

6. Dans cette liste, trouvez les deux mots qui ont le même sens.

GARGOUILLIS   PLAINTE   TAPAGE

SOUBRESAUT   VACARME   GALOP

7. Quel est le dessin suivant ?

a.   b.   c.

d.   e.

8. Reliez deux de ces groupes de lettres pour trouver un mot signifiant une façon particulière de marcher :

BOI   UNI   LET   ANI

PIR   IRE   TER

9. Utilisez une fois chaque voyelle de l'alphabet pour compléter ce mot :

- C - L - - R -

10. Les dessins de la première ligne possèdent une caractéristique que n'ont pas ceux de la seconde ligne, et que possède l'un des dessins numérotés, sur la troisième. Lequel ?

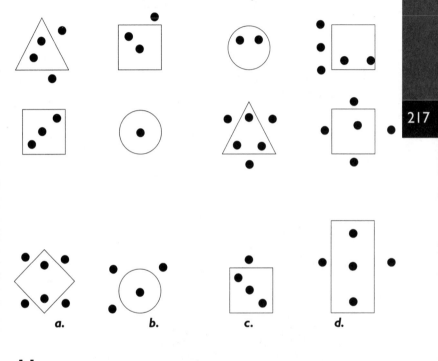

a. b. c. d.

11. Essayez de résoudre cette analogie :

POMME est à *ÉPLUCHER* ce que *HUÎTRE* est à ?

MOULE   OUVRIR   PELER

ABRICOT   CASSER

12. Essayez de résoudre cette équation :

Si 8 A = 3 A + 20, combien vaut A + 9 ?

13. Parmi cette liste de mots, quels sont les deux de sens contraire ?

NÉPOTISME   ASCÉTISME   ÉGOÏSME

ONIRISME   ARRIVISME

ALTRUISME   OPTIMISME

14. Cette forme a été retournée recto verso, puis pivotée. Saurez-vous la retrouver ?

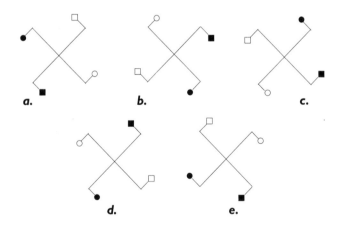

a.   *b.*   *c.*

d.   *e.*

15. Décryptez ces anagrammes et trouvez lequel est une plante.

RURERES   EARM   VRGEI
RUREIAL   LLIOES

16. Quel est le chiffre manquant ?

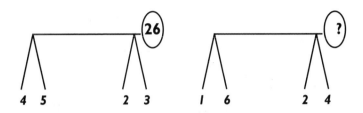

17. Remettez ces mots en ordre et vous pourrez alors dire si cette phrase est vraie ou fausse.

orient   se   soleil   direction   l'

semble   le   coucher   en   de

18. Trouvez le mot écrit dans le sens direct (sens des aiguilles d'une montre), ainsi que la lettre manquante.

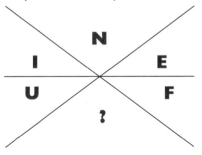

19. Quel dessin vient compléter cette série ?

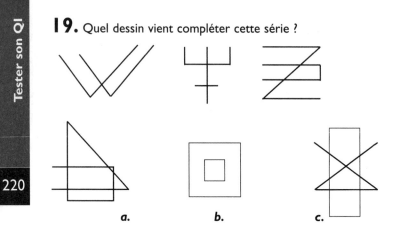

?

a.

b.

c.

d.

e.

20. Reliez trois de ces groupes de lettres pour former un nouveau mot. Indice: chef.

MOT   **GOU**   **CLE**   **EUR**

          VER   **PLA**   **PON**   **NER**

21. Parmi les mots de cette liste, quels sont les deux qui ne vont pas avec les autres ?

VAR   TARN   SOMME

VAUCLUSE   ARIÈGE   ARDENNES

22. Quel est le domino manquant ?

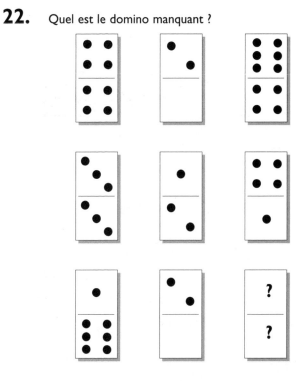

23. Trouvez la lettre manquante. Attention, il y a un début et une fin.

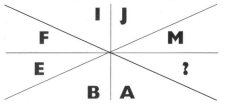

24. Otez un peintre, il reste un compositeur :

M R E O Z N O A I R R T

25. Quelle est la carte manquante ?

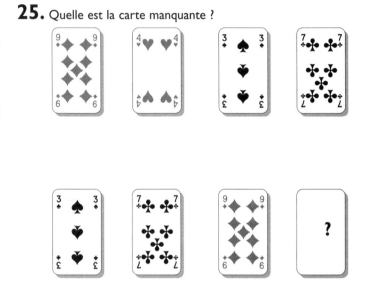

26. Quel dessin ne va pas avec les autres ?

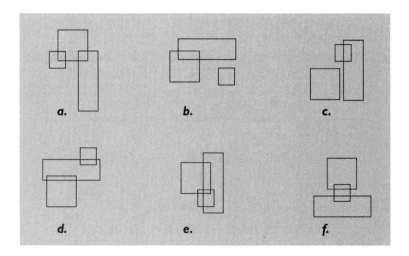

27. Quel est le dessin manquant ?

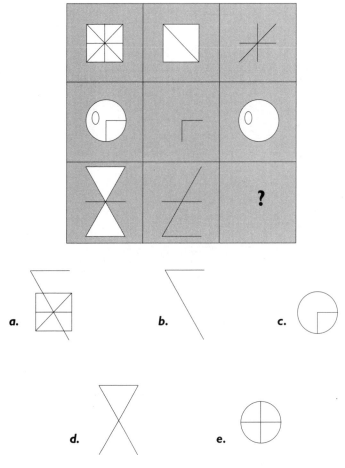

a.

b.

c.

d.

e.

28. Tentez de résoudre cette analogie :

C   est à   X   ce que   E   est à   ?

29. Quel est le dessin qui prolonge la série ?

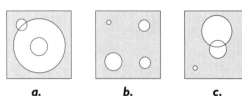

a.　　　*b.*　　　*c.*

d.　　　*e.*

30. Parmi cette liste de mots, quels sont les deux qui vont ensemble ?

MOUCHE　FOURMI　GUÊPE

COCCINELLE　PUCE　LIBELLULE

31. Quelles sont les trois lettres qui terminent et forment des mots avec les débuts suivants :

GUE - - -　　NOD - - -　　ROT - - -

SE - - -　　BO - - -

32. Quel est le dessin manquant ?

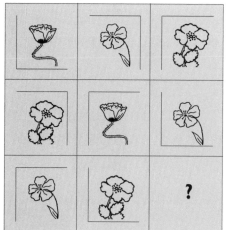

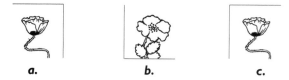

a.   *b.*   *c.*

d.   *e.*

33. Trouvez le mot inscrit dans le sens direct et la lettre manquante.

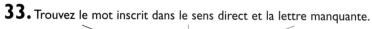

34. Tentez de résoudre cette analogie :

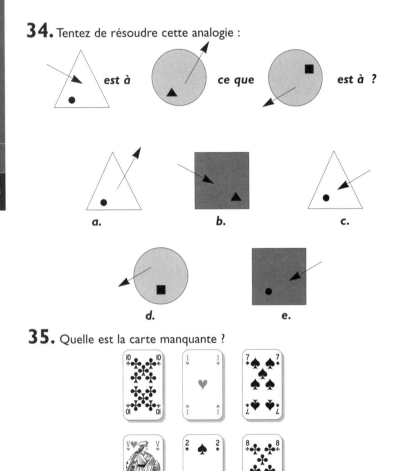

est à   ce que   est à ?

a.   b.   c.

d.   e.

35. Quelle est la carte manquante ?

Corrigés page 339.

Test 2

Durée du test : 1 heure.

1. Quel est le chiffre manquant ?

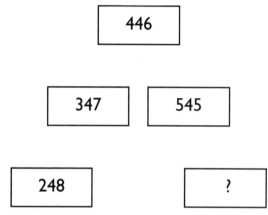

446

347   545

248   ?

2. Parmi les mots de cette liste, quels sont les deux de sens contraire ?

SOLITAIRE   SECTAIRE   POPULAIRE

LÉGATAIRE   GRÉGAIRE   TÉMÉRAIRE

3. Trouvez le mot inscrit dans le sens direct ainsi que la lettre manquante.

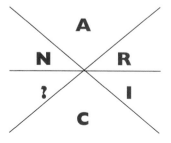

4. Quel dessin prolonge cette série ?

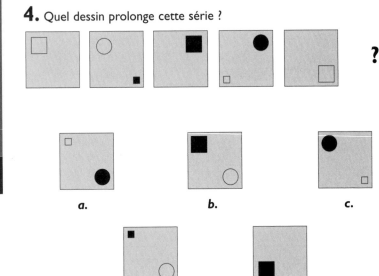

a.   b.   c.

d.   e.

5. Cette image a été retournée recto verso, puis pivotée. Pourrez-vous la retrouver parmi celles proposées ?

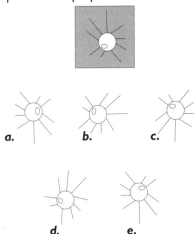

a.   b.   c.

d.   e.

6. Vous souhaitez vous acheter un pull à 80 francs. Il est en solde. L'étiquette annonce «-20 %». Combien paierez-vous ce pull ?

7. Quelle est la carte manquante ?

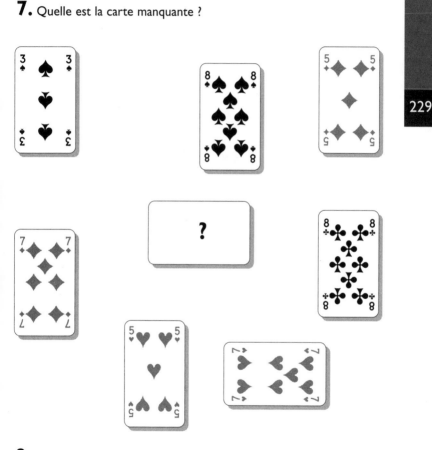

8. Quel est le mot qui a les deux sens suivants :

ORGANISER   et   **COMMANDER**

9. Quel est le dessin suivant ?

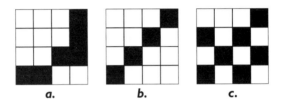

a.   b.   c.

d.   e.

10. Quel est le mot de quatre lettres qui termine le premier mot et commence le suivant ?

R A P – – – – R A I T

11. Parmi cette liste de verbes, quels sont les deux dont le sens est proche ?

élaguer   dénicher   chasser

remplacer   dilater

expulser   casser

12. Les dessins de la première ligne possèdent une caractéristique que n'ont pas ceux de la seconde ligne, et que possède l'un des dessins numérotés, sur la troisième. Lequel ?

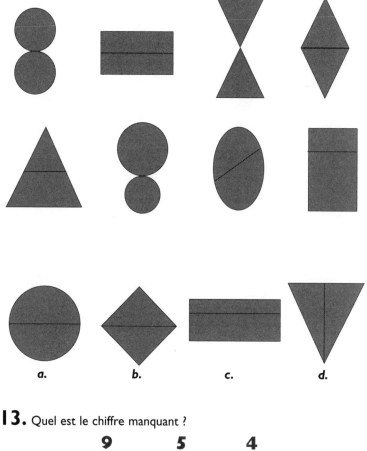

a.   b.   c.   d.

13. Quel est le chiffre manquant ?

9	5	4
7	?	4
2	2	0

14. Parmi cette liste de syllabes, trouvez-en deux qui, réunies, forment un animal.

| MIE | ENT | STE | IEU |
| GUE | BRE | LAR | NON |

15. Quelle figure vient compléter la série ?

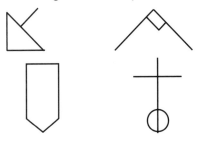

?

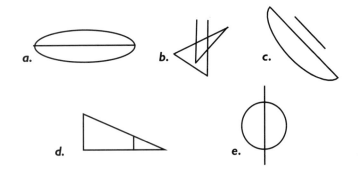

a.

b.

c.

d.

e.

16. Anagrammes : trouvez lequel est coupable :

NMEEICD   **RRRTMEEIU**

NPIACO   **TEVLA**   **RREEFMI**

17. Quel dessin prolonge la série ?

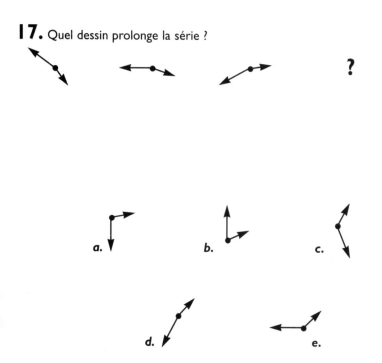

a.

b.

c.

d.

e.

18. Utilisez une fois chaque voyelle pour compléter ce mot :

L – – N C – – –

19. Remettez les mots de cette phrase dans l'ordre et dites si elle est vraie ou fausse.

paresseux   sont   mammifères   le
le   des   ragondin   et

20. Dans chaque case notée de a. à i., se trouve la superposition du dessin de la ligne et de la colonne correspondantes. Une de ces neuf cases est fausse. Laquelle ?

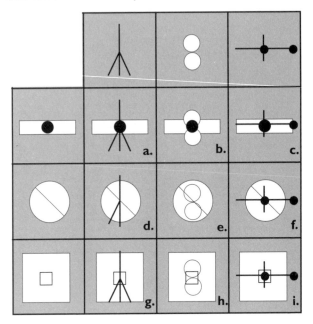

21. Dans cette liste de mots, quels sont les deux qui ne vont pas avec les autres ?

**CAPTIVANT   ÉMOUVANT
POIGNANT
INTÉRESSANT   TOUCHANT**

22. Quelles sont les deux lettres suivantes ?

A   B   H   I   O   ?   ?

23. Quel est le dessin manquant ?

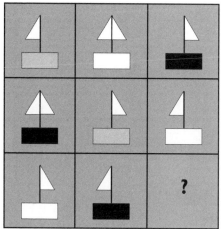

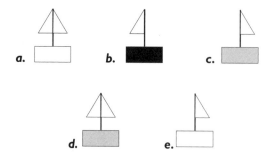

24. Essayez de résoudre cette analogie :

CHIFFRES est à **NOMBRES**

ce que **LETTRES** est à... ?

phrases   opérations   alphabet

mathématiques   mots

25. Quel est le domino manquant ?

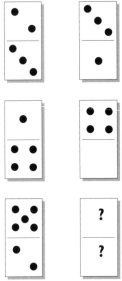

26. Trouvez le mot inscrit en sens direct ainsi que la lettre manquante.

```
        R | E
      E   |   L
      U   |   L
        Q | ?
```

27. Parmi cette liste de mots, quels sont les deux qui ne vont pas avec les autres ?

VIOLONISTE   **TROMPETTISTE**

GUITARISTE

SAXOPHONISTE   **HARPISTE**

28. Quelle est la carte manquante ?

29. Quel est l'animal qui ne va pas avec les autres ?

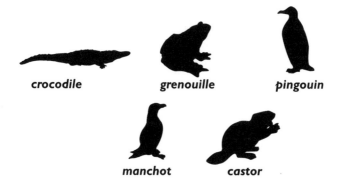

crocodile   grenouille   pingouin

manchot   castor

30. Regroupez trois de ces syllabes pour faire un mot qui détone.

SAN   RER   BOM   COU
BAR   DIE   PIN   DER

31. Quel est le domino manquant ?

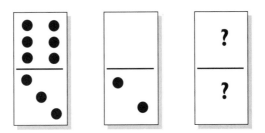

32. Essayez de résoudre cette analogie :

VACHE est à *TAUREAU* ce que *OIE* est à ?

33. Quelle est la lettre manquante ?

34. Quel est le dessin manquant ?

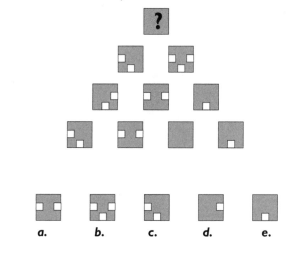

a.   b.   c.   d.   e.

35. Otez une ville espagnole, il reste une ville italienne :

G N R E A N P L A D E E S

Corrigés page 342.

Test 3

Durée du test : 1 heure.

1. Quelle est la lettre manquante ? Attention : il y a un début et une fin.

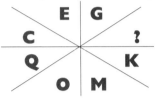

2. Quel est le chiffre manquant ?

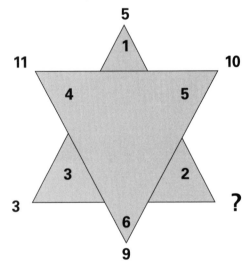

3. Quelle est la fin de quatre lettres communes à tous les mots qui commencent par les lettres suivantes :

BOU   CRU   FOUR   CO

4. Quel est le mot qui signifie à la fois :

UN LIEN et **UNE TROUPE**

5. Quel est le domino manquant ?

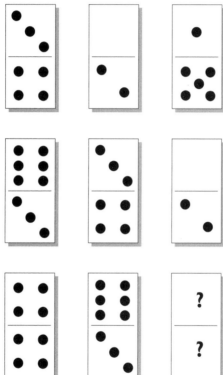

6. Déchiffrez les anagrammes et trouvez quel mot est une histoire.

NCSOHAN **LCCSTPEEA**

ITECR **RRMUUE**

7. Quel est le dessin manquant ?

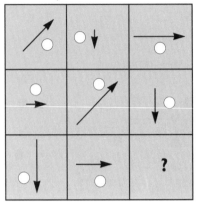

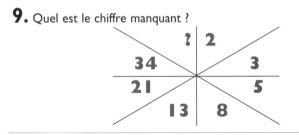

a. b. c.

d. e.

8. Quelle est la lettre suivante ?

S   Q   O   M   ?

9. Quel est le chiffre manquant ?

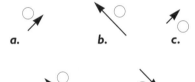

10. Trouvez le mot manquant.

tragique   (*trace*)   *précoce*

colonial   (**?**   )   *éboulis*

11. Quel dessin vient prolonger la série ?

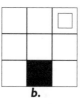
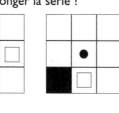

12. Parmi cette liste de mots, quel est l'intrus ?

TERRORISER   ABOMINER
DÉTESTER   EXÉCRER
ABHORRER

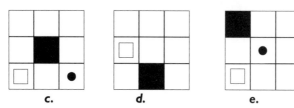

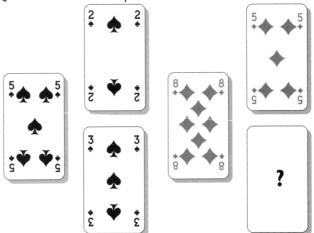

13. Quelle est la carte manquante ?

14. Essayez de résoudre cette analogie :

BLANC est à **PERLE** ce que **VERT** est à **?**

a. couleur   b. rose   c. huître

d. neige   e. jade

15. Quel est le prix moyen des pommes sur le marché si elles sont proposées aux prix suivants ?

8,10f   8,40f   7,50f

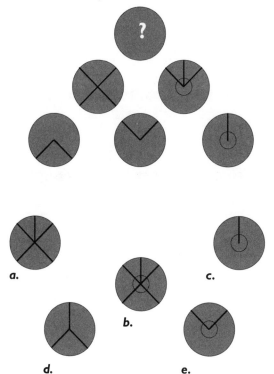

16. Accolez deux de ces groupes de lettres pour former un mot.
Indice : herbe.

TRE **QUE** **LIS** **TON**
PRI **AIN** **DRE** **GER**

17. Quel est le dessin manquant ?

?

a.

b.

c.

d.

e.

18. Essayez de résoudre cette analogie :

THÉIÈRE est à *LONDRES* ce que *SPAGHETTI* est à ?

19. Parmi les mots de cette liste, quels sont les deux de sens contraire ?

**CULTIVÉ   INTÉRESSÉ   PROBANT
CRU   TRAGIQUE   GRATUIT
GRATINÉ**

20. Quel est le dessin manquant ?

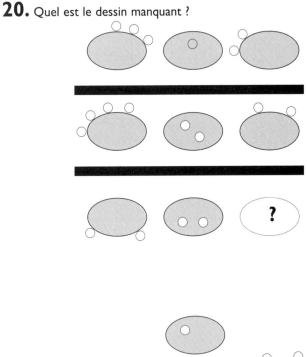

21. Trouvez le mot écrit dans le sens direct et la lettre manquante.

22. Les dessins de la première ligne possèdent une caractéristique que n'ont pas les dessins de la deuxième ligne et que possède un des dessins de la troisième. Lequel ?

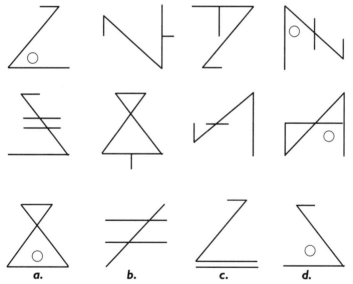

23. Parmi les mots de cette liste, quel est celui qui ne va pas avec les autres ?

**TÂCHE   BESOGNE   CORVÉE
OUVRAGE   TRAVAIL**

24. Quel est le domino manquant ?

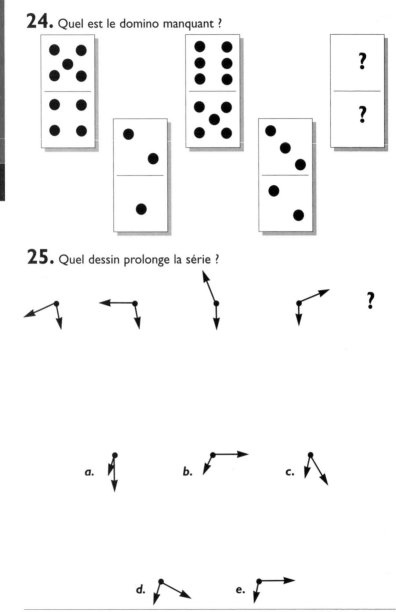

25. Quel dessin prolonge la série ?

a.   b.   c.

d.   e.

26. Quel est le dessin manquant ?

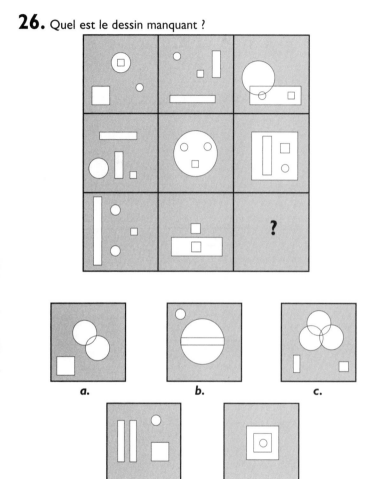

a.   **b.**   **c.**

d.   **e.**

27. Remettez les mots de cette phrase dans l'ordre et dites si elle est vraie ou fausse.

PARTIE   PAUL   QUATRE   FAIT   ÉVANGÉLISTES   DES   SAINT

28. Otez un rouge, il en reste un autre :

V M E A R G M E E N I T A L

29. Quel dessin ne va pas avec les autres ?

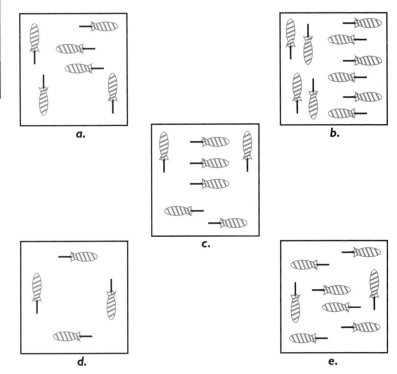

a.

b.

c.

d.

e.

30. Accolez trois de ces groupes de lettres pour former un mot. Indice: insecte.

MAS   URE   DIA   MOU
TRA   CHE   EPE   PRE   RON

31. Trouvez le mot inscrit dans le sens direct, ainsi que la lettre manquante.

32. Cette image a été retournée recto verso, puis pivotée. Pouvez-vous la retrouver ?

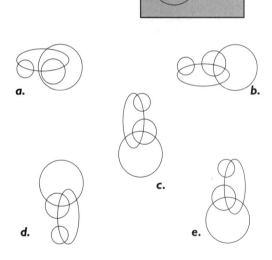

a.

b.

c.

d.

e.

33. Parmi les mots de cette liste, trouvez les deux de sens contraire.

endommager   satiner   travailler

poncer   peaufiner   réparer

34. Quel dessin vient compléter la série ?

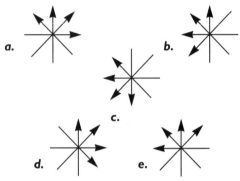

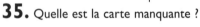

35. Quelle est la carte manquante ?

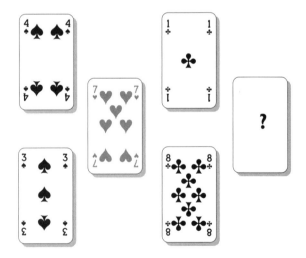

Corrigés page 344.

Test 4

Durée de ce test : 1 heure.

1. Parmi les mots de cette liste, quels sont les deux de sens contraire ?

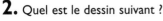

novice   prêtre   *législateur*

technicien   **expert**   *routier*

2. Quel est le dessin suivant ?

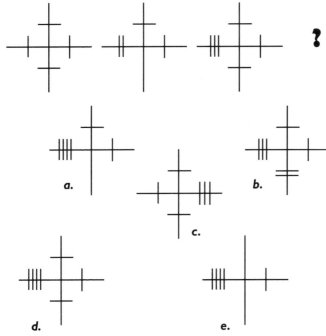

a.

b.

c.

d.

e.

3. Essayez de résoudre cette analogie:

L   est à   K   ce que   S   est à   ?

4. Quel est le domino manquant ?

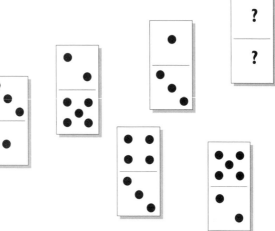

5. Quel est le dessin manquant ?

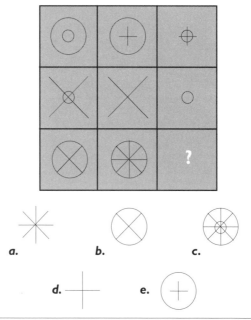

a.

b.

c.

d.

e.

6. Ce dessin a été retourné recto verso, puis pivoté. Quelle est la figure obtenue ?

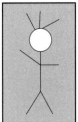

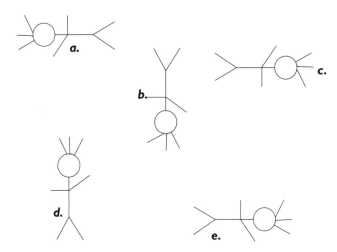

7. Quel est le mot manquant ?

CHANTAGE   (CHANSON)   SONGERIE

MARTINET   (?   )   CHEVALERIE

8. Trouvez les deux groupes de lettres qui forment un mot. Indice : bijou.

| **COL** | **LIE** | **FLE** | **BRO** |
| **NAL** | **LET** | **CHE** | **BIE** |

9. Quel est le chiffre manquant ?

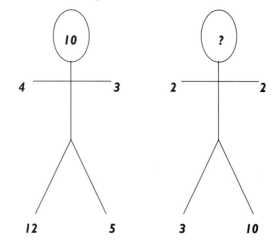

10. Essayez de résoudre cette analogie :

ROUGE est à *ARC-EN-CIEL* ce que *CURRY* est à ?

jaune	*étoiles*	*couleur*
cumin	*épices*	*repas*

11. Parmi ces mots, quels sont les deux de même sens ?

**SOMME   POSITION   NIVEAU
ROTATION   ENFLURE   DEGRÉ
ATTEINTE**

12. Quelle est la carte manquante ?

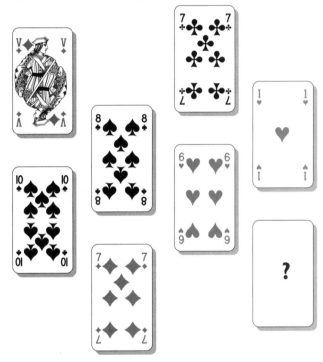

13. Utilisez une fois chaque voyelle pour compléter ce mot:

F - - R N - - S -

14. Quel dessin prolonge la série ?

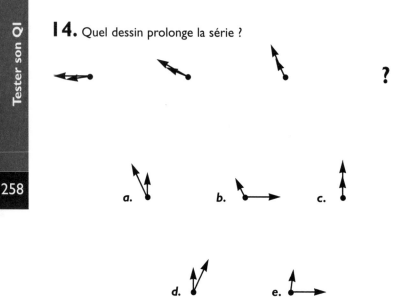

15. Remettez les mots de cette phrase en ordre et dites si elle est vraie ou fausse.

côté   du   égale   l'   carré
est   aire   carré   au   du

16. Otez un quart d'un tiers. Combien vous reste-t-il ?

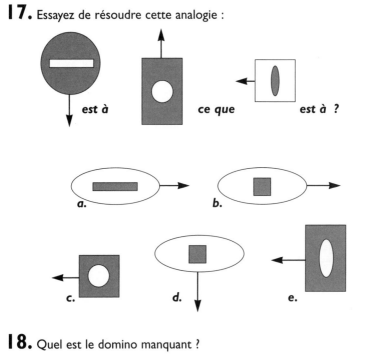

17. Essayez de résoudre cette analogie :

est à ... ce que ... est à ?

a.

b.

c.

d.

e.

18. Quel est le domino manquant ?

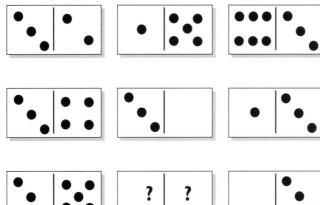

19. Parmi les mots de cette liste, lequel ne va pas avec les autres ?

COQUE   OURSIN   HUÎTRE
PÉTONCLE   PALOURDE

20. Quel dessin complète la série ?

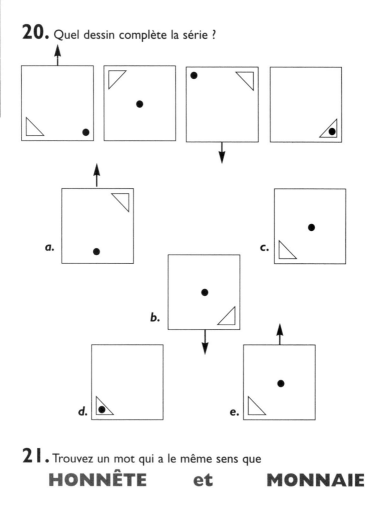

21. Trouvez un mot qui a le même sens que

HONNÊTE   et   MONNAIE

22. Quel est le drapeau manquant ?

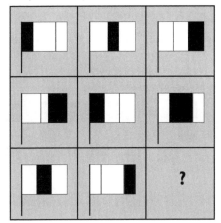

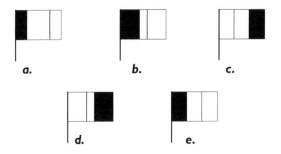

a.   *b.*   *c.*

d.   *e.*

23. Trouvez le mot écrit en sens direct et la lettre manquante.

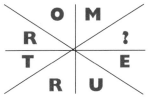

24. Remettez ces mots dans l'ordre et dites lequel est un oiseau.

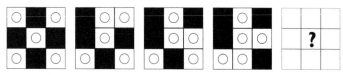

RSSUIO   AEEILBL   IIVONS
RRHUPCEE   AGNEU

25. Quel est le dessin suivant ?

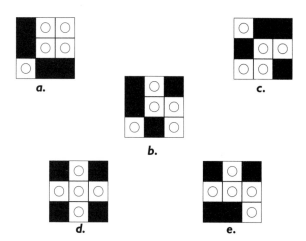

a.

b.

c.

d.   e.

26. Regroupez trois de ces groupes de lettres pour former un mot.
Indice : nuit.

eau   cau   cha   nte   que
che   eux   mar   bou

27. Les dessins de la ligne 1 possèdent une caractéristique que n'ont pas ceux de la ligne 2 et que possède un des dessins de la ligne 3. Lequel ?

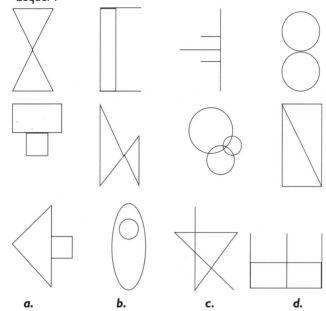

a.   b.   c.   d.

28. Essayez de résoudre cette analogie :

ÉCURIE   est à   CHEVAL

ce que   BERGERIE   est à ?

29. Quelle est la lettre manquante ? Attention: il y a un début et une fin.

30. Trouvez le mot inscrit en sens direct et la lettre manquante.

31. Quel est le nombre manquant ?

5	2	10
3	?	18
15	12	180

32. Otez un poisson, il en reste un autre :

P G O E R U J C O H N E

33. Quelle est la carte manquante ?

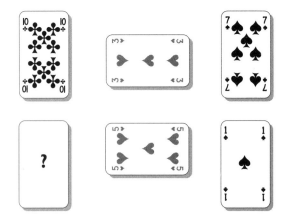

34. Parmi les mots de cette liste, quels sont les deux qui ne vont pas avec les autres ?

**taupe   gazelle
chauve-souris   ours   dauphin**

35. Quel dessin ne va pas avec les autres ?

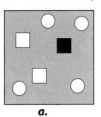

a.

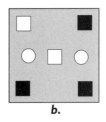

b.

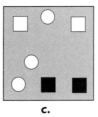

c.

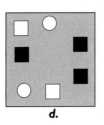

d.

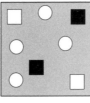

e.

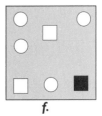

f.

Corrigés page 346.

Test 5

Durée du test : 1 heure.

1. Lequel de ces mots ne va pas avec les autres ?

PERSONNEL   POSSESSIF   RELATIF

DÉMONSTRATIF   QUALIFICATIF

2. Ce dessin a été retourné recto verso, puis pivoté. Pouvez-vous le retrouver parmi ceux proposés ?

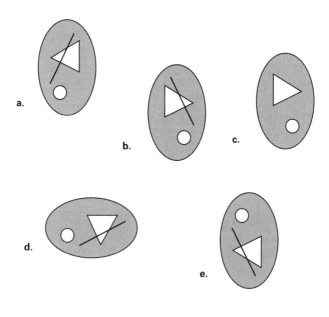

a.

b.

c.

d.

e.

3. Trouvez le mot écrit en sens direct et la lettre manquante.

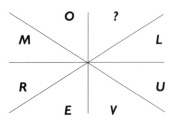

4. Quelle est la carte manquante ?

5. Reliez deux de ces groupes de lettres pour former un mot. Indice : roue.

ble   **mou**   **sme**   **age**

      die   **ion**   **lin**

6. Dans chaque case notée de a. à i., se trouve la superposition du dessin de la ligne et de la colonne correspondantes. Une de ces neuf intersections est fausse. Laquelle ?

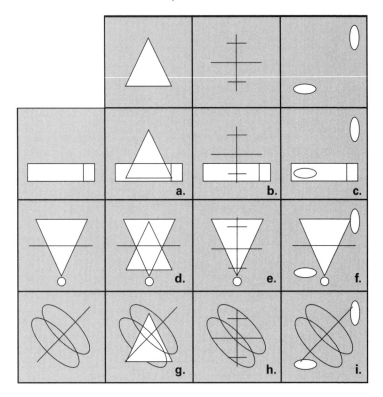

7. Parmi ces mots, quels sont les deux de sens contraire ?

TOUCHER CHARGER ATTRAPER
ANNULER DÉPOSER LANCER
CRAINDRE

8. Quel est le domino manquant ?

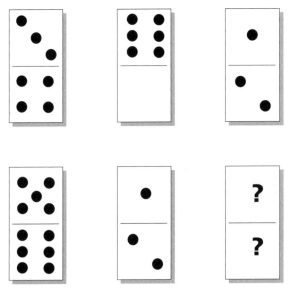

9. Trouvez le mot écrit en sens direct, ainsi que la lettre manquante.

10. Quel mot de la langue française a le même sens que :

DOIGT   et   LISTE

11. Quel est le dessin manquant ?

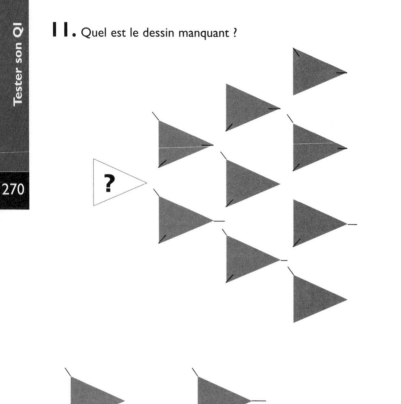

a.

b.

c.

d.

e.

12. Otez un département, il en reste un autre :

C D R R E O U S M E E

13. Quel chiffre ne va pas avec les autres ?

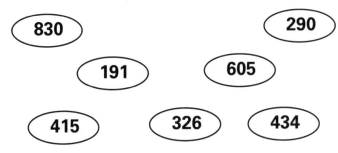

830   290   191   605   415   326   434

14. Quel dessin complète la série ?

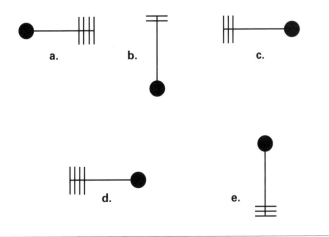

a.   b.   c.

d.   e.

15. Remettez les mots de cette phrase dans l'ordre et dites si elle est vraie ou fausse.

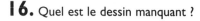

**féminin   qui   est   commun
un   pluriel   nom   devient
orgue   au**

16. Quel est le dessin manquant ?

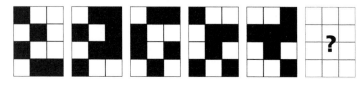

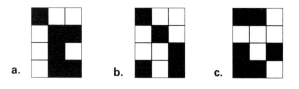

a.   b.   c.

d.   e.

17. Quelles lettres prolongent la série ?

B   N   D   P   F   R   ?   ?

18. Quelle carte manque-t-il ?

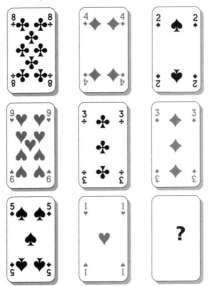

19. Les dessins de la première ligne possèdent une caractéristique que n'ont pas ceux de la seconde ligne et que possède un des dessins de la troisième ligne. Lequel ?

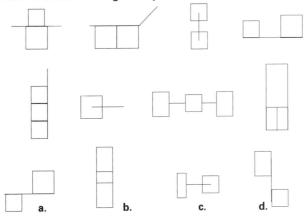

20. Utilisez une fois chacune des cinq voyelles pour compléter ce mot :

G - - L - - S -

21. Quel dessin prolonge la série ?

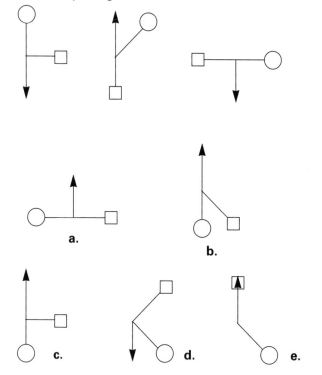

22. Remettez les lettres dans l'ordre et trouvez quel animal est le plus gros :

ICNEH   ONSIB   RSTACO
PLUO   AANGEEIR

23. Quel est le dessin manquant ?

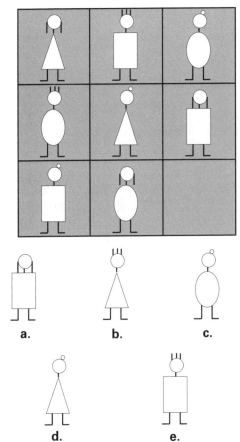

a.   b.   c.

d.   e.

24. Essayez de résoudre cette analogie :

SUIVRE est à *SUIVI*

ce   que   *CROÎTRE*   est   à   ?

25. Lequel de ces mots ne va pas avec les autres ?

olive   **riz**

maïs   **arachide**   **noix**

26. La circonférence d'un cercle est de 8 π. Combien vaut son rayon ?

27. Quel est le domino manquant ?

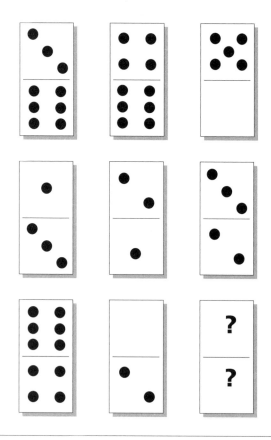

28. En mettant ensemble trois de ces groupes de lettres, vous formerez un mot. Indice : gâteau.

COR   LER   CLA   AGE   TAR
VIA   FOU   RIE   TIS

29. Les dessins de la première ligne possèdent une caractéristique que n'ont pas ceux de la seconde ligne et que possède l'un des dessins de la troisième. Lequel ?

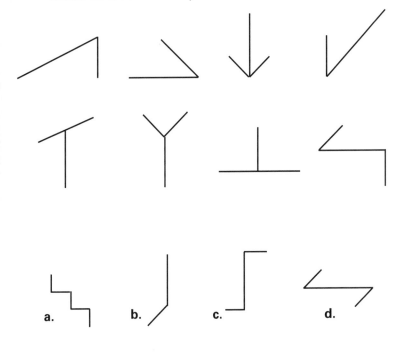

30. Parmi les mots de cette liste, quels sont les deux de même sens ?

intrépide   solennel   généreux

tourmenté   brave   intrigant

31. Quel dessin prolonge la série ?

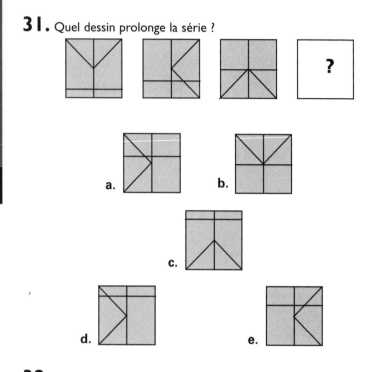

32. Quel mot de quatre lettres termine le premier mot et débute le suivant ?

T   R   I   -   -   -   -   E   L   L   E

33. Quelle est la lettre manquante ?

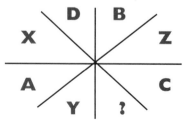

34. Essayez de résoudre cette analogie :

VACHE   est à   **YAOURT**

ce que   **POULE**   est à ?

lait   *taureau*   *fruit*   *poussin*

omelette   *coq*

35. Quels sont les nombres manquants ?

53	/	51
50	/	47
46	/	42
41	/	36
?	/	?

Corrigés page 349.

Chapitre 5

Corrigés, explications
et interprétations

Corrigés du chapitre 1

Test 1 (page 13)

1. Populaire

2. 15   La progression est de +3.

3. a   Dans chaque ligne et chaque colonne se trouvent: un carré, un rectangle et un triangle; un petit rond, une croix ou un blanc.

4. La **Grande-Bretagne** n'est pas une région de France.

5. Enlevez DOUZE, reste TREIZE.

6. c   L'heure avance de 90 minutes.

7. 60,10 F

8. COUSIN

9.   Les dominos sont inversés deux à deux.

10. dos; armoire; plume; liberté.

11. a

12. d   Les autres ne sont que pivotés.

13. N   Les autres acceptent un axe de symétrie vertical.

14. Orange, qui est à la fois un fruit et une couleur.

15. HANNETON

16. Heure et heurt

17. G   Otez les C, reste la suite de l'alphabet.

18. Distrait et étourdi

19. 9,5   Tous les autres chiffres progressent de 1,7.

20. Impeccable

21. Le haut progresse de -1, le bas de +1.

22. c   Un carré en moins, un petit rond en plus.

23. Rat / ras

24. Chèvre

25. e   Dans chaque ligne et chaque colonne, il y a 2,
3 ou 4 pattes et les 3 positions de la queue.

26. Dépendant / autonome

27. Maire / mère

28. a   L'élément du haut devient l'élément du bas
et réciproquement. La figure intérieure
devient la figure extérieure et réciproquement.

29. Vrai : «Grimper à la corde lisse est difficile» (sauf pour certains!).

30. 9   6 x 3 = 18, 18 : 2 = 9

31. La louche n'est pas un couvert.

32. d Tous les autres vont par paire.

33. 18 Somme des mains et des pieds.

34. c Chaque flèche tourne selon sa propre progression, d'un quart, d'un demi ou d'un huitième de tour.

35. Fleur, canapé, œuf, **cerise.**

Test 2 (page 24)

1. DIS Fait paradis et dispute.

2. 36 La progression est de +2, +4, +6, +8,...

3. b Chaque figure du bas est la superposition des deux du dessus.

4. Dispute et conflit.

5. a La fleur pivote vers la droite et perd un pétale.

6. Alphabet; faon; parapluie; poisson.

7. d Cinq ronds.

8. Fer et faire.

9. Le haut est fixe; le bas augmente de 2.

10. 8   Somme des deux chiffres du dessus.

11. Bomber

12. La flûte n'est pas un instrument à cordes.

13. 3 et 9

14. Bref et succinct.

15. a ☐ La figure du bas reprend les traits manquants aux deux du dessus pour faire des figures simples.

16. L   On saute chaque fois une lettre.

17. Mais et mai.

18. Blâmé

19. Violet; lent; triste; joyeux.

20. a ◯ C'est une figure blanche.

21. Otez PAIN, reste SOUPE.

22. b et f 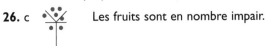 Les autres sont tournées recto verso.

23. 33   La progression est de -5.

24. Uniforme et varié.

25. Vrai : «Etre perplexe c'est ne pas savoir quoi penser».

26. c Les fruits sont en nombre impair.

27. PERMIS

28. b Il est inversé; les autres ne sont que pivotés.

29. e Dans deux figures successives, les petits carrés noirs et blancs sont complémentaires.

30. Température

31. New York

32 La taupe est le seul mammifère.

33. Couché Formé avec le début du premier mot et la fin du dernier mot.

34. 8 et 2 Le chiffre du haut est la somme des deux précédents, le chiffre du bas la différence.

35. d Chaque triangle dépend des deux qui sont sous lui. Deux petits ronds au même emplacement dans ces deux triangles s'annulent et disparaissent donc dans le triangle du dessus. Un petit rond tout seul se maintient.

Test 3 (page 35)

1. Bientôt Le seul qui n'évoque pas le passé.

2.   Les cartes vont par paire, l'une à pique, l'autre à carreau.

3. Gauche et maladroit.

4. d Le carré noir, dans un dessin sur deux, est au milieu; l'autre tourne.

5. Otez ANNE, reste PAUL.

6. 9 La progression est de -3.

7. Lettres

8. Calcul

9. e Une seule sorte de coque et de voile par ligne et par colonne.

10. Papier; odeur; matelas; **acteur**.

11.

12. Pierre a 7 ans et Matthieu 14 ans.

13. Il et île

14. T La lettre qui précède.

15. Faux : «La sardine est un poisson de rivière.»

16. a

17. Pierre.

18. h Il manque une diagonale.

19. 8 Chaque chiffre est suivi de son double.

20. Traîner

Corrigés

288

21. c Le seul dessin qui ne soit pas fait de droites.

22. RELIEF

23. Cinq douzièmes (5/12).

24. Même catégorie animale, mais plus petit.

25. H Une lettre est à sa place, les deux suivantes sont inversées.

26. Gigantesque et minuscule.

27. b Un petit rond en trop.

28. H et hache.

29. 18 (Bras + jambe) gauches - (bras + jambe) droits.

30. Ours, lenteur, **Espagne**, avion.

31. a Phare debout, toit gris, carré noir en haut, triangle vers le bas.

32. Eplucher et peler.

33. a Une figure par ligne, une couleur par colonne.

34. Ton et thon.

35. CIR Fait farcir et cirque.

Test 4 (page 46)

1. e Un carré noir de plus.

2. N   Alphabet à l'envers.

3. Vrai : «Les piétons traversent au feu rouge.»

4. 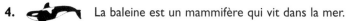 La baleine est un mammifère qui vit dans la mer.

5. La moitié

6. Soumission et domination.

7. c et f Les autres sont tournés recto verso.

8. Lard, **costume**, cheval, montre.

9. Pot / peau

10. Maison

11. b Le seul à n'être pas symétrique.

12. Voiture

13. d

14. 13   La moitié du chiffre précédent.

15. L'autruche ne fait pas partie de la basse-cour.

16. b

17. Menuisier

18. Possible et vraisemblable.

19. e   Plus 5 minutes, +10, +15, +20.

20.   Le sapin est le seul conifère.

21. e   Une forme de tête et deux cheveux par ligne et par colonne.

22. 49   Le carré du nombre.

23. Corse et Manche.

24.   Les cartes se suivent en ligne et les couleurs sont les mêmes dans chaque colonne.

25. Crayon, hérisson, vase, tulipe.

26.

27. a   Un carré de plus, un rond de moins.

28. Là / las

29. 24 / 16   Les chiffres du haut se multiplient pour donner celui de la 3ᵉ colonne. Ceux du bas s'additionnent.

30. c   Deux carrés adjacents conditionnent le carré du dessus. Superposez-les: deux tirets au même endroit disparaissent; un tiret tout seul reste.

31. Poireau

32. COURONNE

33. c Un trait de plus, un rond de moins, le sens de l'étoile alterné.

34. Don et présent.

35. L   Des couples de lettres qui se suivent.

Test 5 (page 58)

1. Chacune des trois cartes se trouve une fois par ligne et une fois par colonne.

2. 33   La progression est de +6.

3. Artiste   N'est pas forcément un musicien.

4. i Il manque un petit rond.

5. Oiseau

6. Maison

7. Odeur, **muguet**, oignon, lune.

8. Seule racine.

9. Vaincre et gagner.

10. X   La 3ᵉ lettre en partant du début correspond à la 3ᵉ lettre en partant de la fin.

11. La face extérieure est le double de la face intérieure. Les points augmentent d'un en un ou de deux en deux en tournant dans le sens des aiguilles d'une montre.

12. Lait / laid

13. c Il n'est pas symétrique.

14. 20

15. Pâle

16. a Dans chaque colonne et dans chaque ligne, il y a 4 rectangles, 5 carrés et 7 ronds.

17. Avocat

18. b Seul dessin fait de six droites discontinues, au lieu de cinq droites continues.

19. Poire et navet.

20. Faux : «Les arbres perdent leurs feuilles au printemps.»

21. X   Deux lettres se suivent, puis on en saute deux.

22. Paresse, bien, avenir, livre.

23. d Les carrés du bas s'obtiennent par la superposition des deux carrés du dessus.

24. 6   La soustraction des deux chiffres du dessus.

25. Né   Le participe passé du verbe précédent.

26. e Les droites qui joignent les angles opposés.

27. CART**O**N

28. Aire et ère.

29. e 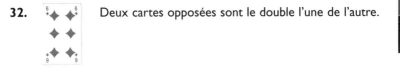 Le seul à avoir un nombre pair d'étoiles.

30. 24 F

31. Vert et ver.

32. Deux cartes opposées sont le double l'une de l'autre.

33. Défendre et permettre.

34. Mouton Le seul mâle.

35. 11:20 Pendule qui avance de 25 minutes chaque fois.

Evaluation des résultats pour chacun des cinq tests

	Moyen	Bon	Très bon	Excellent	Exceptionnel
11 ans	6 - 10	11 - 15	16 - 20	21 - 25	26 - 35
12 ans	7 - 12	13 - 17	18 - 22	23 - 27	28 - 35
13 ans	8 - 14	15 - 19	20 - 24	25 - 29	30 - 35
14 ans	9 - 16	17 - 21	22 - 26	27 - 31	32 - 35
15 ans	10 - 18	19 - 23	24 - 27	28 - 33	34 - 35

Evaluation de la note globale

	Moyen	Bon	Très bon	Excellent	Exceptionnel
11 ans	25 - 54	55 - 79	80 - 104	105 - 129	130 - 175
12 ans	30 - 64	65 - 89	90 - 114	115 - 139	140 - 175
13 ans	35 - 74	75 - 99	100 - 124	125 - 149	150 - 175
14 ans	40 - 84	85 - 109	110 - 134	135 - 159	160 - 175
15 ans	45 - 94	95 - 119	120 - 139	140 - 169	170 - 175

Corrigés du chapitre 2

Des tests verbaux

Exercice n°1 (page 70)

1. cité

2. franc

3. masse

4. solde

5. inspirer

6. pis — Qui forme TAPIS et PISTON

7. lit — Qui forme DÉLIT et LITIGE

8. chat — Qui forme ENTRECHAT et CHÂTIER

9. ton — Qui forme PITON et TONSURE

10. lion — Qui forme TRUBLION et LIONCEAU

11. Manteau — Qui est le seul mot à ne pas faire partie des objets de l'école.

12. Fourchette — Qui est le seul à ne pas être un objet de bricoleur.

13. Carotte — Qui est la seule racine (les autres poussent sur des arbres ou arbustes), ou le seul légume parmi des fruits.

14. Lourd — Qui est le seul terme qui ne s'applique pas à la préparation ou à la cuisson des œufs.

15. Aplomb — Qui est le seul terme à évoquer quelque chose de vertical et non de penché.

16. Arpenter — Verbe qui signifie «marcher rapidement», contrairement aux autres termes qui évoquent plutôt la lenteur.

17. Se réfugier — Qui évoque l'arrivée et la sécurité, contrairement aux autres verbes qui évoquent la fuite et le départ.

18. Comparer — Il s'agit du seul verbe à ne pas donner l'idée de causalité ou de filiation entre les deux choses.

19. Questionner et interroger

20. Corridor et couloir

21. Chantonner et fredonner

22. Fainéant et paresseux

23. Illustre et célèbre

24. Goût et saveur

25. Gêner et déranger

26. Main	Qui forme mainlevée, mainmise, maintenir, mainmorte.
27. Bien	Qui forme bien-être, bienfait, bientôt, bienvenu.
28. Bas	Qui forme bas âge, bas-bleu, bas-relief, bas morceau.
29. Part	Qui forme quelque part, faire-part, mauvaise part, prendre part.
30. Rouge	Qui forme Peau-Rouge, vin rouge, place Rouge, lanterne rouge.

Exercice n°2 (page 72)

1. Tristesse a le même sens que chagrin.

2. Estimable

3. Gros

4. Rusé

5. Foi

6. Penché

7. Pliable

8. Déguiser

9. Cultivé

10. Voyant

11. Méchant a le sens contraire de gentil.

12. Clair

13. Mobile

14. Ignorant

15. Disperser

16. Infini

17. Hésitant

18. Facile

19. Rusé

20. Pratique

21. Habileté a un sens très proche de dextérité.
22. Dépassé
23. Liberté
24. Nombreux
25. Certaines
26. Suffisance
27. Émouvant
28. Dépôts
29. Poète
30. Trouble

Exercice n°3 (page 75)

1. Montée est synonyme d'élévation comme descente l'est d'<u>abaissement</u>.
2. Décéder est le contraire de naître comme mourir est celui de <u>vivre</u>.
3. L'aigu est le timbre de voix de la soprano comme le grave est celui de la <u>basse</u>.
4. L'histoire décrit la réalité comme le conte décrit une <u>fiction</u>.
5. Bon est synonyme de juste comme livre l'est d'<u>ouvrage</u>.
6. Pomme et poire sont des fruits à pulpe, noix et <u>noisette</u> sont des fruits à coquille.
7. Effrayer est le contraire de rassurer comme prendre l'est de <u>donner</u>.
8. Homme est le masculin de femme comme cheval est celui de <u>jument</u>.
9. Gauche est le synonyme de maladroit comme habile l'est d'<u>avisé</u>.
10. Meilleur est le contraire de pire comme mêler l'est de <u>séparer</u>.
11. Le chef dirige l'orchestre comme le président dirige le <u>pays</u>.
12. Le cheval dort dans l'écurie comme le <u>porc</u> dans la porcherie.
13. Le moineau et le pigeon sont de la même espèce animale, la carpe et le <u>brochet</u> aussi.
14. Le violet est une couleur comme le curry est une <u>épice</u>.
15. La lave sort du volcan comme l'eau de la <u>source</u>.
16. La glace est froide comme le désert est <u>sec</u>.
17. On pèle une banane, on <u>épluche</u> une pomme de terre.
18. Le chien aboie, le <u>lion</u> rugit.
19. Dans son métier, le tailleur coud, l'actrice <u>joue</u>.

20. La peine se traduit par des larmes, la joie par un <u>sourire</u>.

21. Mai précède juin dans le calendrier, octobre précède <u>novembre</u>.

22. Fils et père ont le même degré de parenté que fille et <u>mère</u>.

23. Envoyé est l'action préalable à reçu, comme lancé est préalable à <u>attrapé</u>.

24. La robe est faite de tissu comme le pneu de <u>caoutchouc</u>.

25. Lire et lecture sont de la même famille comme se nourrir et <u>nourriture</u>.

26. La pluie mouille comme la flamme <u>brûle</u>.

27. Les mots composent les phrases comme les pages le <u>livre</u>.

28. L'avion et l'hélicoptère volent, la barque et le <u>paquebot</u> vont sur l'eau.

29. Le pansement recouvre la coupure comme la ficelle entoure le <u>paquet</u>.

30. Le blanc est la couleur de la neige comme le noir est celle du <u>charbon</u>.

Exercice n°4 (page 78)

1. QUE   Forme banque et quête

2. c   Signifie «du Sud» ; tous les autres mots font référence au Nord.

3. Page

4. d   a = mur, b = fenêtre, c = toit, d = chien, e = porte.

5. AIO   Forment le mot abricot.

6. Clos   Vase clos, espace clos, huis clos.

7. Eau   Bateau, veau, radeau, chapeau.

8. Rat   Ingrat et ration.

9. Rond   Compte rond, chapeau rond, chiffre rond.

10. Billet

11. b et e   Eux seuls ont le sens de «rendre plus beau».

12. OUE   Forment le mot louer.

13. b   a = cousine, b = amie, c = sœur,
                     d = tante, e = mère.

14. OIRE   Forme boire, ivoire, moire, noire.

15. Mi   Forme mi-course, mi-carême, mi-clos.

16. Livre

17. c et e   Même sens : «qui commande avec énergie».

18. d   a = camembert, b = bleu, c = gruyère,
                     d = matière, e = edam.

19. Main   Main morte, main propre, main basse.

20. ION   Lion, pion, action, camion.

21. EOE   Les deux voyelles permettent d'écrire pelote.

22. SON   Forme maison et sonore.

23. Haricot

24. TRI   Forme tripot, tribut, tricher, trique.

25. EIE   Ces deux voyelles permettent d'écrire église.

Votre résultat

18 points et plus : très bon résultat

12 à 17 points : bon résultat

5 à 11 points : résultat moyen

0 à 4 points : résulat médiocre

Ce test mesure vos performances dans le domaine verbal. Une note médiocre indique que vous ne ferez certainement pas carrière dans un emploi où le support du travail n'est que verbal et où la tâche essentielle consiste à agencer des mots entre eux. Il vous faut un support plus technique, plus matériel ou plus mathématique. Une note élevée indique, à l'inverse, que vous devriez pouvoir tirer parti de cette capacité dans votre vie professionnelle. Ne serait-ce que pour rédiger des lettres de candidature qui retiennent l'attention par leur pertinence ! Vous pouvez postuler pour tous les emplois de bureau. Vous avez un bon vocabulaire et vous savez vous en servir : les mots sont vos amis. Attention toutefois : ce test ne mesure pas votre niveau d'orthographe !

Des séries de chiffres et de lettres

Exercice n°1 (page 81)

1. 5 — Les chiffres se suivent : 1, 2, 3, 4, 5, 6.

2. 0 — Les chiffres décroissent de 1, 2, 3 puis 4.

3. 368 — Le chiffre du centre est égal à la somme des trois chiffres qui l'entourent.

4. 10 — Chaque chiffre est égal à la somme des deux qui le précèdent.

5. 15 — Les chiffres augmentent régulièrement de 3 en 3.

6. 32 — Chaque chiffre est le double du précédent.

7. 30 — Chaque chiffre du centre est égal à la somme des deux chiffres qui l'entourent.

8. 1 2 — Il s'agit de deux séries alternées : 4, 3, 2, … 1 et 5, 4, 3, … 2.

9. 2 — 10–7=3, 7–5=2 et 3–2=1

10. 4 — Chaque chiffre est le tiers du précédent.

11. 26 — Il s'agit d'une série qui croît alternativement de 2 et de 5 : 5 (+2) 7 (+5) 12 (+2) 14 (+5) 19 (+2) 21 (+5) … 26.

12. 43 — Les chiffres augmentent de 10, 9, 8, 7 et … 6.

13. 13 — Chaque colonne est à voir comme une soustraction : 11–3=8, 15–10=5 et 19–6=…13.

14. 20 — Les chiffres de droite sont égaux au double de la somme des deux chiffres dont ils sont issus : (1+6)x2=14, (6+4)x2=20 et (14+20)x2=68.

15. 18 — Les chiffres augmentent de 2, 3, 4,… 5.

16. 33 — Les chiffres augmentent de 2 de plus à chaque fois :

9 (+3) 12 (+5) 17 (+7) 24 (+9)... 33.

17. 60 — Le chiffre qui est en dessous est le triple de celui qui est au-dessus.

18. 22 — Les chiffres décroissent de moitié moins à chaque fois : 52 (−16) 36 (−8) 28 (−4) 24... (−2) 22.

19. 45 — Le chiffre du centre est égal à la différence entre les deux chiffres qui l'encadrent.

20. 4 — Dans chaque ligne, le troisième chiffre est égal à la somme des deux premiers.

21. 24 16 — Il s'agit de deux séries alternées :
– l'une progresse de 5, 6, ... 7 : 6 11 17... 24
– l'autre est une suite de multiplication par 2 : 2 4 8... 16.

22. 53 56 — Un chiffre sur deux est égal au précédent +3
– Un chiffre sur deux est égal à la somme des deux précédents.

23. 61 — Chaque chiffre est déduit du précédent par la règle : x2+3. 1x2=2 et 2+3=5, 5x2=10 et10+3=13, etc.

24. 45 — Les chiffres augmentent de 3 de plus à chaque fois : +1, +4, +7, +10, ... +13.

25. 12 — Le chiffre du milieu est égal au double de la différence entre les deux chiffres qui l'entourent : (39–28)x2=22 et (12–6)x2=... 12.

26. 14 — Tournez la croix située en haut à droite d'un quart de tour vers la gauche. Additionnez les chiffres qui sont aux mêmes places dans les deux croix du haut : la somme se trouve à la même place dans la croix du bas : 7+11=18, 5+3=8, 9+8=17 et 10+4=... 14.

27. 6 — La somme des trois chiffres de chaque ligne est égale à 15. 0+9+?=15, donc ?=6.

28. 0 — Le chiffre qui se trouve sur la tête du bonhomme est égal à la somme de ses mains moins la somme de ses pieds : (6+6)–(2+3)=7 et (9+7)–(8+8)=... 0.

29. 21   Le chiffre du centre est égal au produit des deux chiffres qui l'entourent, divisé par 2 : (6x4) : 2=12 et (7x6) : 2=... 21.

30. 15   Le chiffre du centre est égal à la somme des trois chiffres qui l'entourent, divisé par 3. (20+15+4) : 3=13 et (3+25+17) : 3=... 15.

31. T   Les lettres progressent de 2 en 2.

32. N   Les lettres défilent à rebours.

33. F   Chaque ligne est formée de trois lettres qui se suivent.

34. 16   Chaque lettre est suivie de sa place dans l'alphabet.

35. CHR   Les lettres bnq sont celles qui précèdent immédiatement les lettres cor. Celles qui précèdent dis sont chr.

36. BCE   Les chiffres indiquent les places des lettres correspondantes dans l'alphabet.

37. 4   Les chiffres correspondent à la place de la lettre qui précède, plus 1.

38. Q   Les lettres progressent de trois en trois (donc on en saute deux chaque fois).

39. F   Les lettres reculent de quatre en quatre (donc on en saute trois, tout en faisant défiler l'alphabet à rebours).

40. TS   Dans chaque ligne, les lettres se suivent en partant de la droite (cde, mno, stu).

41. 25   Les chiffres représentent la place de la lettre qui précède, moins 1.

42. SPJ   Les trois lettres de droite sont celles qui suivent juste les trois lettres de gauche.

43. WY   Sur chaque ligne, les trois lettres se suivent de deux en deux (il faut donc en sauter une pour trouver la suivante).

44. ENGH   Ajouter 2 à chaque place dans l'alphabet des lettres qui composent damme fournit les lettres de fcog.

45. JN La première lettre d'une paire suit juste la dernière lettre de la paire précédente. Au sein de chaque paire, les deux lettres sont séparées d'une place, deux, trois, ... et quatre places.

46. PO Les places des lettres dans l'alphabet se succèdent comme ceci : +4, −1, +4, −1, etc.

47. NP Dans chaque groupe, les quatre lettres se suivent et sont placées dans un ordre identique.

48. HO Il s'agit de deux séries intercalées : d, e, f, g, ... h et k, l, m, n, ... o.

49. DI Il s'agit de deux séries intercalées à progression +2 pour l'une (c, e, g, ... i) et −2 pour l'autre (j, h, f, ... d).

50. G Il s'agit d'une suite de lettres dont les places dans l'alphabet reculent de 1, 2, 3, ... 4 rangs.

Exercice n°2 (page 86)

1. K On saute une lettre.

2. K On recule d'une lettre.

3. a Même ordre des lettres, dans chaque groupe.

4. TVU Chaque lettre figure 1 fois par ligne et colonne.

5. b + 3

6. e - 9

7. c -5, +2, -5, +2, -5.

8. e x1, x2, x3, x4.

9. d Deux séries alternées : 3, 6, 12 et 1, 3, 5, 7.

10. a Le milieu est la somme des extrêmes.

11. c Le milieu est la somme + 5.

12. e Le milieu est le produit des extrêmes.

13. b Somme des chiffres équivalents dans autres carrés : 10 + 9 = 19, 21 + 5 = 26, 8 + 15 = 23.

14. b   Somme des 2 chiffres qui précèdent : 2 + 8 = 10,   8 + 11 = 19,   10 + 19 = 29.

15. d   Différence des 2 chiffres multipliée par 3 : (20 - 15) × 3 = 15, (15 -12) × 3 = 9,   (15 - 9) × 3 = 18.

16. e   7 × 7 × 7,   8 × 8 × 8,   9 × 9 ×9,   10 × 10 ×10.

17. a   Divisé par 6, puis 5, puis 4, puis 3.

18. c   Tête = bras + jambes :

       18 = (2 + 4) + (7 + 5) ;

       25 = (6 + 3) + (10 + 6).

19. c   Tête = jambes - bras :

       7 = (5 + 7) - (2 + 3) ;

       10 = (6 + 9) - (2 + 3).

20. c   Rang de la lettre -1.

21. b   Somme des 3 chiffres, multipliée par 2.

Votre résultat

18 points et plus : très bon résultat

12 à 17 points : bon résultat

6 à 11 points : résultat moyen

0 à 5 points : résultat médiocre

Ce test vise à mesurer vos performances dans le domaine logique. Tantôt à base de chiffres, tantôt à base de lettres, il est indépendant de votre niveau de culture. Il détermine une aptitude à résoudre rapidement, en envisageant mentalement une succession d'hypothèses, des problèmes logiques. Cette aptitude est présente dans toutes les professions de type informatique, gestion, comptabilité, ainsi que dans tous les postes à responsabilité technique ou commercial et dans les postes d'encadrement. Une note élevée vous autorise, selon votre curriculum vitæ, à postuler dans ces domaines : les tests dits «tests d'intelligence» ou «tests de raisonnement» que vous aurez à passer lors des séances de recrutement, du même genre que celui-ci, seront sans difficulté pour vous.

Des tests à base de dessins

Exercice n° I (page 90)

I. b   Le nombre de barres augmente d'une. Ils restent horizontaux.

2. d   Deux figures sont alternées. Celle qui est en second se retrouve donc en quatrième.

3. d   Il s'agit d'une même spirale qui, chaque fois, se prolonge d'un trait.

4. b   Trois dessins sont alternés. Celui qui est en troisième place se retrouve donc en sixième.

5. a   Il y a un point de plus dans chaque carré. Ces points sont situés sur une diagonale qui change de sens une fois sur deux.

6. e   En colonnes, les deux dessins sont identiques, mais le second est plus gros que le premier. En lignes, les deux dessins ont la même taille, mais on passe d'un carré noir à un triangle blanc.

7. c   En colonnes : le dessin s'inverse en position et en couleur. En ligne : on passe d'un gros dessin à deux petits, de couleur et position inverses.

8. c   Sur chaque ligne, les deux dessins sont identiques.

9. a   La barre tourne d'un quart de tour vers la gauche.

10. b   Le carré blanc va de coin en coin en tournant vers la droite. Le carré noir fait la même chose en tournant vers la gauche.

I I. e   Il s'agit de deux séries alternées. Pour trouver la figure suivante, il faut faire subir à la deuxième figure les mêmes transformations que celles nécessaires pour passer de la première à la troisième figure : changer le sens de la diagonale et changer le sens de la barre.

12. c   La barre verticale se décale progressivement vers la droite, jusqu'à se confondre avec celle du cadre. La barre horizontale remonte régulièrement. Le carré noir occupe les coins en tournant vers la gauche.

13. a   On peut résoudre cet item de deux façons :

- le nombre de tirets augmente de 1 : il doit donc y en avoir sept ;

- il y a deux séries alternées. Pour passer de la première à la troisième figure, on ajoute deux tirets en bas. Il suffit donc d'ajouter deux tirets au bas de la seconde figure pour avoir la quatrième.

14. e   Pour dessiner chaque figure, on a besoin de trois, quatre, cinq, puis six segments de droite.

15. d   La barre tourne autour du carré vers la droite. Le point est tantôt à l'une, tantôt à l'autre extrémité. La lettre avance dans l'alphabet et remonte le long de la diagonale.

16. b   Pour obtenir la seconde figure à partir de la première, il suffit de la couper en deux suivant une diagonale, puis d'espacer les morceaux sur l'autre diagonale.

17. d   Si l'on avance d'une figure à l'autre, on constate que :

- le carré du milieu y reste ;

- le carré en bas à gauche fait les coins dans le sens des aiguilles d'une montre ;

- le carré en haut à droite avance d'une case vers la gauche.

18. b   C'est le triangle, la seule figure à n'avoir que trois côtés.

19. b   La diagonale du carré est inversée par rapport aux quatre autres, qui sont simplement tournées sur elles-mêmes, et recto verso.

20. c   La barre tourne régulièrement de trois huitièmes de tour (un quart de tour, plus la moitié d'un quart) vers la droite. La troisième figure est fausse par rapport à cette progression.

21. b   Cette figure est tournée recto verso par rapport aux quatre autres.

22. a   Cette figure est la seule où l'on ne trouve que des barres verticales ou horizontales.

23. e   La figure a été tournée de 90 degrés dans le sens des aiguilles d'une montre et ensuite recto verso.

24. c   La figure a été tournée de 90 degrés dans le sens inverse des aiguilles d'une montre et ensuite recto verso.

25. b   La figure a été tournée de 90 degrés dans le sens inverse des aiguilles d'une montre et ensuite recto verso.

26. a   La figure a été tournée de 90 degrés dans le sens des aiguilles d'une montre et ensuite recto verso.

27. d   La barre verticale change d'axe. L'autre reste en place. Le carré (donc le rectangle) change de couleur.

28. a   La figure est tournée sur elle-même de 180 degrés et les proportions réciproques des deux formes s'inversent (la plus grosse devient la plus petite).

29. c   Le petit triangle qui était sur le grand carré passe dessous et change de couleur. De même, le petit carré qui était sous le grand triangle va passer dessus et changer de couleur. Du grand carré il ne reste que l'intérieur, dont la couleur change. Idem pour le grand triangle.

30. d   La flèche qui rentrait sort. La croix passe de l'intérieur à l'extérieur du grand carré (ou l'inverse). Le petit carré change de couleur.

Exercice n°2 (page 99)

1. f   Les trois mêmes figures se retrouvent sur les trois lignes, dans un ordre différent. Sur la troisième ligne, le carré noir manque.

2. d   Sur chaque ligne, la figure de droite est le résultat de la superposition (ou addition) des deux figures précédentes.

3. a   Pour obtenir la figure de droite à partir des deux figures précédentes, on procède, sur chaque ligne, de la façon suivante :

     - on superpose les deux premières figures comme précédemment,

     - on supprime les éléments en commun à ces deux figures.

     Si l'on superpose les deux premières figures de la troisième ligne, les deux cercles disparaissent. Il ne reste que le petit carré noir.

4. c   Sur les deux lignes complètes, on retrouve les trois mêmes figures : un carré, un rond, un triangle, mais de taille différente. Sur chaque ligne, on observe une figure petite, une moyenne et une grande. Dans les huit figures, il y a :

- 3 carrés : un moyen, un grand, un petit ;

- 3 ronds : un grand, un petit, un moyen ;

- 2 triangles : un petit et un moyen.

Logiquement, la figure manquante est le grand triangle.

5. e   Sur les deux premières lignes, on observe deux figures identiques et une différente. Il doit en être de même pour la troisième ligne.

Il existe deux façons de savoir laquelle des deux figures de la troisième ligne doit être doublée :

- la figure seule se situe sur chaque ligne à une place différente : il ne reste que la colonne I ;

- parmi les six réponses possibles, seule figure l'une des deux figures de la troisième ligne (la figure c en diffère légèrement).

6. f   Sur chaque ligne, il faut voir les deux figures de droite comme deux moitiés devant se réunir pour former la figure de gauche. On peut dire autrement que la figure de droite est obtenue en déduisant la figure du centre de celle de gauche.

7. a   Sur les deux premières lignes, on constate que :

- les figures I et 2 (gauche et centre) sont identiques ;

- la figure 3 (droite) a la même forme, mais elle est tournée d'un quart de tour et sa couleur est inversée.

Appliquant la même règle à la troisième ligne, on devine que la figure manquante est un rectangle, horizontal, de couleur noire.

8. e   Sur chaque ligne, pour passer d'une figure à l'autre, on applique la règle suivante :

- une des aiguilles reste fixe ;

- l'autre avance d'un huitième de tour.

9. b   Sur chaque ligne, la figure 3 (de droite) s'obtient en accolant les figures 1 et 2, mais en passant la figure 1 à droite de la figure 2.

10. d   Sur chaque ligne et dans chaque colonne, il y a :

- une fois chaque forme (carré, triangle, cercle) ;

- une fois chaque trame.

11. c   Les trois figures de chaque ligne ont la même forme. Mais l'une a l'intérieur noir, l'autre a l'extérieur noir, la troisième est entièrement blanche. Sur la dernière ligne, c'est donc celle-ci qui manque.

12. f   Chaque figure est composée de deux petits carrés. Chacun de ces petits carrés, dans chaque ligne et dans chaque colonne, peut prendre l'un des trois états suivants : lignes verticales, lignes horizontales, lignes obliques.

En regardant les carrés dessinés dans la dernière ligne et dans la dernière colonne, on voit que le premier manquant ne peut être qu'à lignes obliques et le second, à lignes horizontales.

13. c   La figure de droite de chaque ligne s'obtient par les règles suivantes :

- on superpose les figures 1 et 2.

- on supprime les tirets qui sont au même emplacement.

14. b   La règle est semblable à celle de l'exercice ci-dessus :

- on superpose les deux premières figures ;

- on supprime tout ce qui est commun aux deux.

Le résultat donne la troisième figure.

15. d   Ici encore, pour trouver la troisième figure, il faut commencer par superposer les deux premières. Ensuite, la règle est la suivante :

- trame horizontale + blanc = trame verticale,

- trame verticale + blanc = trame horizontale,

- blanc + blanc = blanc,

- trame horizontale + trame verticale = noir.

16. a   La troisième figure s'obtient en accolant la partie droite de la première figure à la partie gauche de la seconde figure.

17. e Chaque ligne suit les deux règles suivantes :

- la flèche tourne d'un quart de tour à droite ;

- le point est alternativement au bout et au milieu de la flèche.

18. f Sur chaque ligne, la figure évolue dans les trois carrés de la façon suivante :

- elle s'aplatit de plus en plus ;

- elle tourne d'un quart de tour à droite.

19. b Pour obtenir, sur chaque ligne, la troisième figure, il faut superposer les deux premières puis appliquer la règle suivante :

- si deux traits se trouvent dans l'alignement (l'un étant à l'intérieur du carré et l'autre à l'extérieur), ils se suppriment mutuellement, comme deux chiffres de signes contraires ;

- si deux traits se superposent juste, ils changent de côté.

20. d On observe une combinaison des trois règles suivantes :

- le dessin, identique sur chaque ligne, peut prendre trois états : tramé, blanc ou noir (cette alternance se retrouve dans les colonnes ;

- le cadre autour du dessin peut également prendre trois états : pointillés, tirets, trait continu (cette alternance se retrouve dans les colonnes) ;

- le dessin lui-même tourne vers la gauche d'un quart de tour sur la première ligne, d'un huitième de tour sur la seconde ligne et d'un seizième de tour sur la troisième ligne.

Exercice n°3 (page 110)

1. C

2. D

3. A

4. B

5. E

6. B

7. C

8. C

9. E

10. A

11. 5

12. 6

13. 7

14. 10

15. 13

16. D   Le point est dans le rond alors qu'il n'y est pas dans les autres figures.

17. C   Le point est dans un seul carré et non dans les deux.

18. B   Le point est à la fois dans le carré et dans le cercle.

19. C   Le point est de l'autre côté de la ligne par rapport au carré.

20. A   Le point est dans le carré au lieu d'être dans le rectangle.

Des tests à base de cartes à jouer

Exercice n°1 (page 115)

La méthode la plus simple pour trouver la réponse à ce type de problème est de séparer la recherche de la couleur de la carte (pique, cœur, carreau, trèfle) de la recherche de sa valeur (1 à 10). Les deux problèmes ne sont jamais liés et doivent donc être traités l'un après l'autre, afin d'éviter toute confusion.

Trouver la couleur de la carte est toujours plus simple (parce qu'il n'y a que quatre valeurs possibles et parce qu'il s'agit d'une variable qualitative). C'est donc par là que nous allons chaque fois commencer. En second, nous chercherons la valeur de la carte.

Pour qu'une réponse soit considérée comme bonne, il faut que la valeur et la couleur de la carte à trouver soient bonnes.

1. Quatre de carreau

- Les trois premières cartes sont de la même couleur, pique. On peut donc supposer qu'il en est de même pour les trois autres. La carte cherchée est donc du carreau.

- La première carte, un 4, est égale à la somme des deux cartes : 4 = 3 + 1.

En appliquant la même règle au groupe de cartes suivant, on obtient : 7 = ? + 3. Donc ? = 4.

2. Dix de cœur

- Deux cartes de même couleur se font face : on voit deux cartes de pique et deux cartes de carreau. En face du cinq de cœur doit logiquement se trouver une autre carte de cœur.

- En regardant toujours les cartes qui se font face, donc celles de même couleur, on constate que l'une est le double de l'autre : 3 x 2 = 6 et 1 x 2 = 2.

De la même façon, le cinq doit être multiplié par deux (s'il s'agissait d'un chiffre pair, il y aurait un doute entre le multiplier par deux ou le diviser par deux, mais ici il ne peut s'agir que d'une multiplication). 5 x 2 = 10. La carte recherchée est donc le dix de cœur.

3. Trois de pique

- Sur la première rangée, on trouve successivement les quatre couleurs : trèfle, pique, cœur et carreau. Sur la seconde rangée, on trouve cœur, carreau et trèfle. On peut donc supposer que les couleurs sur les deux rangées sont les mêmes, et qu'elles ont seulement changé de place. La couleur manquante sur la seconde rangée est le pique.

- On trouve en haut les valeurs : 8, 3, 5 et 1.

En bas, on a les valeurs : 5, 1, 8 et ?

En appliquant le même raisonnement que pour la couleur, on déduit que les valeurs sont les mêmes en haut et en bas. Donc, la valeur manquante est un trois.

- On peut aboutir à ce résultat plus rapidement en constatant que les cartes sont les mêmes dans la première et dans la seconde rangée. Mais ce n'est pas toujours le cas, aussi vaut-il mieux appliquer un raisonnement qui sera valable même si les couleurs appliquées à chaque valeur s'échangent.

4. Deux de pique

- Comme précédemment, les quatre couleurs étant présentes sur la première rangée, elles doivent se retrouver dans la seconde rangée. L'ordre où elles apparaissent a changé, mais on voit vite que le pique, qui se trouve sur la première rangée, manque sur la seconde. La carte cherchée est donc à pique.

- Regardons la valeur des cartes de la rangée du haut : 9, 7, 5, 3.

On constate que la valeur baisse de deux points à chaque carte. Dans la rangée du bas, on a : 8, 6, 4 ?

La valeur baisse également de deux en deux. La carte suivante doit avoir la valeur : 4 - 2 = 2.

5. Trois de pique

- Les couleurs des cartes qui sont côte à côte sont identiques : trèfle-trèfle et cœur-cœur. La couleur de la carte à trouver, située à côté d'un pique, doit donc en être un aussi.

- Regardons les valeurs verticalement. Dans la première colonne (2, 6, 4), on repère que le chiffre du milieu est égal à la somme des chiffres qui l'encadrent : 6 = 2 + 4.

Si on applique la même règle à la deuxième colonne, on obtient : 7 = 4 + ? Donc ? = 3.

6. Quatre de trèfle

- Les couleurs des cartes qui sont l'une au-dessus de l'autre sont les mêmes : pique-pique et cœur-cœur. La carte qui manque, située sous un trèfle, doit donc en être un également.

- Les valeurs des cartes de la première ligne croissent régulièrement d'un point : 7, 8, 9.

En regardant les valeurs de la seconde ligne : 5, ?, 3, on devine facilement que, à l'inverse des valeurs du dessus, elles décroissent régulièrement d'un point. La valeur manquante est donc 4.

7. Deux de pique

- Les couleurs de la suite des cartes alternent : pique, carreau, pique, carreau, ?

On en déduit que, pour poursuivre la série, la carte suivante doit être à pique.

- Les valeurs des cartes décroissent régulièrement de deux en deux : 10, 8, 6, 4, ? La valeur manquante est donc : 4 - 2 = 2.

8. Huit de carreau

- Les cartes qui se font face sur chaque diagonale ont les mêmes couleurs, disposées de façon symétrique. Pique et cœur pour la diagonale complète, trèfle et carreau pour la diagonale où il manque une carte. Cette carte, symétrique d'une carte à carreau, est donc aussi une carte à carreau.

D'une autre façon, on peut constater que les cartes intérieures alternent : cœur, trèfle, cœur, trèfle, tandis que les cartes extérieures alternent : pique et carreau.

- Dans chaque paire de deux cartes côte à côte, la valeur de la carte extérieure est obtenue en ajoutant trois à la carte intérieure : $7 + 3 = 10$, $6 + 3 = 9$ et $4 + 3 = 7$.

En appliquant la même règle à la dernière paire, on obtient : $5 + 3 = ?$, donc la carte à trouver a pour valeur 8.

9. Deux de pique

- Les couleurs de la première rangée alternent : trèfle, carreau, trèfle, carreau.

On en déduit que les couleurs de la seconde rangée appliquent la même règle : cœur, pique, cœur, ? La carte à trouver est donc à pique.

- Les valeurs des cartes de la première rangée décroissent de deux en deux : 9, 7, 5, 3.

Les valeurs de la seconde rangée étant 8, 6, 4, ?, on en déduit qu'elles suivent la même règle et décroissent également de deux en deux. La valeur manquante est donc : $4 - 2 = 2$.

10. Cinq de carreau

- Dans la diagonale complète, on trouve une carte de chaque couleur : trèfle, pique, carreau et cœur. En appliquant cette même règle à l'autre diagonale qui comporte déjà un pique, un cœur et un trèfle, on en déduit que la carte manquante est un carreau.

- Dans la diagonale complète, on constate que les valeurs sont les mêmes de part et d'autre du centre, reproduites identiquement : 6, 3 et 6, 3.

Dans l'autre diagonale, les valeurs fournies (7, 5 et 7, ?) laissent supposer que la règle est la même et que la valeur manquante est 5.

11. Deux de trèfle

- La couleur des deux cartes situées l'une au-dessus de l'autre est la même. La carte manquante est donc à trèfle.

- Si l'on regarde attentivement les valeurs de ces paires de cartes de même couleur (3 et 6, 5 et 4, 1 et 8), on constate que leur somme est toujours égale à 9.

Appliquant la même règle à la dernière paire, on trouve : 7 + ? = 9, donc la valeur à trouver est 2.

12. Huit de cœur

- Nous sommes devant deux groupes de quatre cartes disposées de façon particulière. Dans le premier groupe, chaque carte est d'une couleur différente des autres. Dans le second groupe, on voit les couleurs pique, carreau et trèfle. On en déduit que la quatrième carte est à cœur.

- regardons la disposition des cartes dans chaque groupe : c'est la carte centrale (horizontale) qui doit être devinée. On sait que sa valeur doit être déduite des valeurs des trois autres cartes. La règle est la suivante : la valeur du centre est égale à la somme des deux valeurs du haut, moins la valeur du bas. Comme si la carte horizontale était en fait un signe de soustraction. Donc : 3 + 7 - 4 = 6. De la même façon : 5 + 4 - 1 = ?, donc ? = 8.

13. Neuf de trèfle

- Les couleurs des cartes sont les mêmes dans chaque colonne de cartes : première colonne à carreau, seconde colonne à cœur, troisième colonne (dont la carte cherchée) à trèfle.

- Il faut se représenter mentalement ce groupe de dix cartes séparé par une ligne horizontale en deux groupes de cinq. Il apparaît alors rapidement que les valeurs des cartes au sein de chaque groupe se suivent, dans l'ordre et selon la même disposition.

On trouve : 1, 2, 3, 4, 5 dans le groupe du haut et 6, 7, 8, ?, 10 dans le groupe du bas. La carte manquante a donc pour valeur 9.

14. Sept de cœur

- Comme dans le cas précédent, les couleurs des cartes sont les mêmes dans chaque colonne. La carte manquante est donc à cœur.

- Regardons la rangée de cartes du dessus. Elle se présente comme une soustraction : 8 - 2 = 6.

En appliquant la même règle à la rangée du dessous, on obtient : ? - 3 = 4, d'où ? = 7.

15. Dix de pique

- Dans la première colonne de quatre cartes, chaque couleur est représentée une fois : carreau, pique, cœur et trèfle. Dans la seconde colonne, on voit trois cartes à trèfle, carreau et cœur. On en déduit que la dernière carte, cachée, est à pique.

- Regardons maintenant les lignes :

$$6 (+ 1) = 7$$
$$3 (+ 2) = 5$$
$$1 (+ 3) = 4$$
$$6 (+ 4) = ?$$

Une fois que l'on a repéré que, pour passer de la carte de gauche à la carte de droite, on ajoutait chaque fois un chiffre de plus, on en déduit facilement que la valeur cherchée est 10.

16. Huit de trèfle

- Les couleurs sont les mêmes que les cartes situées en vis-à-vis, de façon symétrique :

| cœur/pique | pique/cœur | (rangée verticale) |
| trèfle/carreau | carreau/? | (rangée horizontale). |

Donc, la carte cherchée est à trèfle.

- Regardons les valeurs des quatre cartes centrales : elles se suivent en tournant dans le sens des aiguilles d'une montre (2, 3, 4, 5). Regardons les valeurs des cartes périphériques en tournant dans le même sens. On trouve : 6, 7, ?, 9.

On devine alors que la valeur à trouver est 8.

17. Trois de trèfle

- La couleur est la même pour les trois cartes de chaque rangée : trois cartes à pique, trois cartes à carreau, donc trois cartes à trèfle.

- Si l'on regarde les valeurs des cartes de chaque rangée, on constate que la première valeur est égale au produit des valeurs des deux cartes suivantes : $6 = 2 \times 3$ $10 = 5 \times 2$ $9 = 3 \times ?$. Donc la valeur cherchée est 3.

18. Deux de trèfle

- Toutes les cartes de la ligne centrale sont à carreau. Toutes les autres cartes qui ne sont pas à carreau sont à trèfle, donc la carte recherchée également.

- Imaginons une ligne verticale qui séparerait les cartes en deux groupes de quatre et regardons le groupe de gauche. On constate que la valeur de la carte seule à droite est égale à la somme des valeurs des trois autres cartes situées à sa gauche : $1 + 1 + 4 = 6$.

Appliquons la même règle à l'autre groupe de quatre cartes. On obtient : $4 + 3 + ? = 9$. D'où il ressort que la valeur recherchée est un 2.

19. Cinq de carreau

- Les couleurs des cartes sont les mêmes dans les deux rangées, disposées dans le même ordre. La couleur manquante est donc à carreau.

- Si l'on fait la somme des cartes de même couleur (situées l'une au-dessus de l'autre), on trouve :

Première colonne : $1 + 7 = 8$.

Deuxième colonne : 3 + 6 = 9.

Troisième colonne : 5 + ? = ?.

Quatrième colonne : 8 + 3 = 11.

Pour reproduire la suite logique (8, 9, 10, 11), la somme des deux cartes de la troisième colonne doit être 10. Si 5 + ? = 10, alors ? = 5.

20. Quatre de trèfle

- Si l'on trace une ligne horizontale imaginaire qui sépare les dix cartes en deux groupes de cinq, on constate que toutes les cartes du groupe supérieur sont du carreau, et toutes les cartes du groupe inférieur sont du trèfle. Donc la carte à trouver également.

- Regardons le groupe du haut (cartes à carreau). On devine que la carte centrale, dont l'équivalente en-dessous est cachée, doit être la résultante de calculs effectués sur les quatre cartes qui l'entourent. En cherchant un peu, on s'aperçoit que : (10 + 6) - (4 + 3) = 9.

Autrement dit, la valeur centrale est égale à la somme des valeurs de gauche de laquelle on déduit la somme des valeurs de droite.

Appliqué au groupe inférieur (cartes à trèfle), on obtient : (5 + 3) - (3 + 1) = ?. Donc, la valeur cherchée est 4.

Exercice n°2 (page 126)

1. 3 de cœur   Les cartes sont alternées.

2. 6 de trèfle   Plus 1, dans la suite des couleurs.

3. 5 de cœur   La carte centrale est la somme des deux qui l'encadrent.

4. 10 de pique   La troisième carte est la somme des deux premières sur chaque ligne. Les couleurs sont fixes par colonne.

5. 8 de pique   Les couleurs sont fixes par colonne. Les valeurs progressent de +1.

6. 4 de carreau   Les valeurs diminuent de +1 dans chaque ligne. Les

couleurs sont fixes par ligne.

7. 3 de pique   Les cartes sont identiques mais déplacées en haut et en bas.

8. 7 et 10 de pique   Progression de + 1 de haut en bas selon les diagonales.

9. 3 de pique   Les couleurs sont fixes par colonne. Les valeurs diminuent de -2 sur les lignes.

10. 1 de cœur   Trois couleurs sur les trois lignes et colonnes. Les valeurs augmentent de +1 horizontalement.

11. 7 de carreau   Les valeurs augmentent de + 3 horizontalement et il y a une couleur par colonne.

12. 3 de carreau   Il y a trois cartes de chaque valeur.

13. 2 de cœur   La somme des valeurs de chaque colonne augmente de +1 (4, 5, 6, 7). Il n'y a que deux couleurs.

14. 6 de carreau   La couleur est fixe. La somme dans chaque colonne est 9.

15. 7 de trèfle   La somme de chaque colonne augmente de +1 horizontalement (4, 5, 6, 7); il y a une couleur par colonne.

Corrigés

Des tests à base de dominos

Exercice n° I (page 135)

Pour qu'une réponse soit considérée comme bonne, il faut que les deux valeurs du domino à trouver soient bonnes. Comme ces deux valeurs sont le plus souvent indépendantes l'une de l'autre, il faut trouver la suite logique qui régit chacune d'elles.

I. On constate que les dominos qui se suivent sont les mêmes, mais un sur deux a été retourné. Le domino suivant a donc les mêmes valeurs que les autres 2 et 4, avec le 4 en haut.

Une autre façon d'arriver au résultat est de regarder d'abord la suite des valeurs du haut : 2 4 2 ? Puis celle du bas : 4 2 4 ?

Dans ce cas, on considère ces deux suites comme autonomes et on les résout l'une après l'autre, très simplement.

2. Regardons les valeurs du haut : I 2 3 4 ?

Puis celles du bas : 5 6 0 I ?

Il s'agit de deux suites reposant sur le même principe simple d'une progression d'un point d'un domino à l'autre.

3. Les valeurs du haut (0 6 5 4 … 3) forment une suite décroissante de un point.

Les valeurs du bas (2 3 4 5 … 6) forment une suite croissante de un point.

4. Les valeurs du haut augmentent progressivement de I, 2, 3, puis 4 points. Donc I + 4 = 5.

Les valeurs du bas diminuent progressivement de I, 2, 3, puis 4 points. Donc 5 – 4 = I.

5. Dans cette figure, il s'agit de deux progressions croisées. C'est-à-dire qu'il faut passer du haut du premier domino, au bas du second, au haut du troisième, etc. On se trouve alors face à deux suites très simples.

L'une n'est faite que de 2, donc la valeur cherchée est 2.

L'autre progression régulière de 1 point : 3 4 5 6 0 ?. Donc la valeur suivante est 1.

6. Ici encore, il s'agit de deux progressions croisées. En avançant de façon alternée haut-bas, on se trouve face à deux nouvelles séries numériques très simples : 0 2 4 6... 1 1 3 5 0... 2.

7. 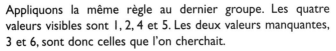 Pour résoudre ce problème, il faut séparer les dominos en trois groupes de trois, par deux lignes horizontales imaginaires.

Ou si l'on regarde les deux premiers groupes, complets, on constate que les six faces des dominos présentent les six valeurs 1, 2, 3, 4, 5 et 6.

Appliquons la même règle au dernier groupe. Les quatre valeurs visibles sont 1, 2, 4 et 5. Les deux valeurs manquantes, 3 et 6, sont donc celles que l'on cherchait.

8. La suite des valeurs du haut des dominos et celle des valeurs du bas suivent la même règle de progression : alternance entre une avance de 3 points et un recul de 4 points.

Haut : 5 (– 4) 1 (+ 3) 4 (– 4) 0 (+ 3) 3 (– 4)... 6.

Bas : 3 (+ 3) 6 (– 4) 2 (+ 3) 5 (– 4) 1 (+ 3)... 4.

9. Examinons la première ligne de trois dominos. Les valeurs du troisième sont obtenues en additionnant les valeurs des deux premiers dominos selon les diagonales : 4 + 2 = 6 et 2 + 1 = 3.

En appliquant la même règle à la seconde ligne de dominos, on obtient : 2 + 3 = ... 5 et 3 + 2 = ... 5.

10. Nous sommes en présence de trois lignes de trois dominos.

Examinons la première. On constate que :

– la valeur du haut du troisième domino est égale à la somme des valeurs du haut des deux premiers dominos (3 + 2 = 5)

– la valeur du bas du troisième domino est égale à la différence des valeurs du bas des deux premiers dominos (4 – 0 = 4).

Examinons la seconde ligne. La même règle s'applique :

0 + 3 et 2 − 1 = 1.

Appliquons cette règle à la dernière ligne :

1 + 4 = ... 5 et 6 − 3 = ... 3.

11. Il s'agit de deux progressions croisées, l'une augmentant de 1 point (6, 0, 1, 2, 3, ... 4), l'autre décroissant de 2 points (4, 2, 0, 5, 3, ... 1).

12. Lorsqu'on regarde attentivement le tableau dans son ensemble, on peut constater que les trois diagonales haut-gauche/bas-droite sont constituées par des dominos identiques.

13. Les dominos présentent deux suites :

– la première où les chiffres croissent régulièrement de 1 point (1, 2, 3, 4, 5, 6, ... 0) ;

– il en est de même pour la seconde suite (3, 4, 5, 6, 0, 1, ... 2).

14. Considérons que les dominos forment un cercle. Les deux dominos situés sur un même diamètre sont identiques et disposés de façon symétrique.

15. Si l'on tourne dans le sens de la flèche en partant du premier domino, on constate que :

– dans la première suite, les chiffres croissent de 1 point;

– dans la seconde suite, les chiffres décroissent de 1 point.

16. En regardant attentivement la suite des dominos (en partant du centre de la spirale), on constate que deux lois se complètent :

– dans chaque domino, la première partie est égale à la seconde augmentée de 1 point ;

– en passant d'un domino à l'autre, on saute de deux points.

17. Dans chaque ligne de trois dominos :

– les valeurs du haut augmentent de deux en deux ;

– la valeur du bas du premier domino est égale à la somme des valeurs du bas des deux autres dominos.

18. En partant du premier domino et en tournant dans le sens de la flèche, on constate que :

– les valeurs de la première suite augmentent d'un point ;

– les valeurs de la seconde suite valent alternativement 2 et 5.

19.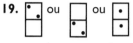

La somme des valeurs du haut et du bas de chaque domino décroît régulièrement de 1 point :

$4 + 3 = 7, 2 + 4 = 6, 5 + 0 = 5$, etc.

20. Regardons les paires de dominos en vis-à-vis : les valeurs de celui de droite sont égales au double des valeurs du domino de gauche, symétriquement par rapport à l'axe central.

21. Imaginons deux lignes verticales qui séparent les dominos en trois groupes de trois.

Dans les deux premiers groupes, on s'aperçoit que les valeurs du domino du centre sont calculées à partir des dominos qui l'entourent de la façon suivante :

– la valeur du haut est égale à la différence entre les deux valeurs du domino supérieur ;

– la valeur du bas est égale à la somme des valeurs du domino inférieur. Ce qui donne, pour le premier groupe : $6 - 2 = 4$ et $3 + 1 = 4$. Appliquée au dernier groupe, cette règle donne : $4 - 2 = ... 2$ et $0 + 2 = ... 2$.

22. Dans cet exercice, il faut voir la suite de dominos comme composée de deux suites indépendantes. Suivons la flèche :

- Pour la première suite, on a : 4, 2, 5, 2, 6, 2, ?, soit une suite croissante (4, 5, 6) où s'intercale la valeur 2.

- Pour la seconde suite, on a : 4, 3, 4, 2, 4, 1, ?, soit une suite décroissante (3, 2, 1) où s'intercale la valeur 4.

23. Pour résoudre facilement ce problème, il faut regarder séparément :

- les côtés des dominos qui forment une ligne médiane : leur valeur décroît régulièrement de 1 point (3, 2, 1, 0, 6,...5) ;

- les côtés extérieurs à cette ligne qui décroissent de 2 en 2 (6, 4, 2, pour les valeurs du dessus ; 5, 3, ... 1, pour les valeurs du dessous).

24. Deux règles régissent cette suite de dominos :

- à l'intérieur de chaque domino, il y a une progression de deux points entre le premier et le second côté ;

- pour passer d'un domino à l'autre, on soustrait 1 point, puis 2, 3, 4, etc.

25. Il faut voir cette suite de six dominos comme deux séries de trois. On constate alors que le troisième se déduit des deux précédents selon les règles suivantes :

- la valeur du haut est égale à la somme des deux valeurs du haut précédentes : (3 + 3 = 6 et 0 + 4 = ...4) ;

- la valeur du bas est égale à la différence des deux valeurs du bas précédentes : (4 - 1 = 3 et 6 - 2 = ...4).

26. Il faut voir ce problème comme trois suites horizontales de trois dominos. En cherchant comment la valeur du domino central peut être déduite des deux dominos qui l'encadrent, on constate que :

- la valeur de droite de ce domino central est égale à la valeur de la partie de domino juste à côté dont on a soustrait 1 : 6 - 1 = 5, 0 - 1 = 6 et 4 - 1 = ...3 ;

- la valeur de gauche est égale à la valeur de la partie de domino juste à côté dont on a soustrait 1 : 2 - 1 = 1, 4 - 1 = 3 et 1 - 1 = 0.

27. Voyons ce groupe de dominos comme s'il était composé de trois paires de dominos.

Dans chaque paire, le second domino se déduit du premier de la façon suivante :

- la valeur du haut du second est égale à la valeur du bas du premier ;

- la valeur du bas du second est égale à la valeur du haut du premier dont on a soustrait 1.

28. Ces dominos suivent une progression croisée (première partie du premier domino, seconde partie du deuxième...). Partant du domino central et tournant dans le sens de la flèche, on obtient deux nouvelles séries de valeurs :

0, 1, 2, 3, 4, 5, 6, ... 0 (progression + 1) et 4, 2, 0, 5, 3, 1, 6, ... 4 (progression - 2).

29. La règle qui régit cette série de dominos est toute simple : la somme des deux valeurs de chaque domino est toujours égale à 7 et tous les dominos sont différents. Le seul domino manquant est 6/1.

On peut résoudre ce problème d'une autre façon en constatant que les trois premiers dominos ont tous leur inverse dans la seconde moitié de la série, sauf un.

30. Il faut voir ce problème comme trois suites horizontales de trois dominos, dont le troisième découle des deux premiers selon les règles suivantes :

- les valeurs du haut décroissent de 2 en 2 ;
- la valeur du bas du troisième domino est égale au produit des valeurs du bas des deux autres dominos : 2 x 0 = 0 ; 3 x 2 = 6 ; 4 x 1 = ... 4.

Exercice n°2 (page 149)

1. Alternance de dominos inversés.

2. Hauts et bas progressent de deux.

3. Symétrie de part et d'autre du domino central.

4. Symétrie par rapport à un axe horizontal.

5. Identique au domino opposé.

6. Symétrie de part et d'autre du domino central.

7. Identique au domino opposé.

8. Progression de + 1 en haut et en bas.

9. Glissement des dominos selon la diagonale : le premier de la première ligne devient le deuxième de la deuxième ligne, etc.

10. ou Un à six points dans chaque ligne.

11. Les faces extérieures augmentent de +1, les faces intérieures aussi.

12. Faces supérieures : + 1, faces inférieures : – 1.

13. Face supérieure de la colonne 1 + face gauche de la colonne 2 = face supérieure de la colonne 3. Face inférieure de la colonne 1 + face droite de la colonne 2 = face inférieure de la colonne 3.

14. Diminution de 1 dans chaque ligne.

15. Par groupes de deux, les dominos s'inversent.

16. Face inférieure = face supérieure + 1. Face supérieure = face inférieure du domino précédent.

17. Domino identique après saut de 1.

18. Diminution de 1 de haut en bas et de gauche à droite. Augmentation de 1 de haut en bas et de droite à gauche.

19. Somme des faces gauches des dominos horizontaux = face supérieure du domino central. Idem pour les faces droites vis-à-vis de la face inférieure.

20. La troisième colonne est l'addition des deux précédentes (somme des faces gauches et somme des faces droites).

Corrigés du chapitre 3

Test 1 (page 160)

1. B Le nombre de « V » augmente : 1,2,3... puis 4. Leur sens s'inverse d'un dessin à l'autre

2. E Selon les lois horizontales et verticales, la figure cherchée doit à la fois être semblable à celle du dessus et de la même couleur que celle d'à côté.

3. F Pour obtenir le second dessin, on coupe le premier selon un axe horizontal et on éloigne les deux parties. Si l'on fait subir le même sort au troisième dessin, on obtient la figure f.

4. Sur la ligne du haut, le nombre de points va croissant : 4-5-6-0-1. Il en est de même sur la ligne du bas : 2-3-4-5-6.

5. E Le nombre d'éléments dans chaque case augmente d'un à chaque fois. Ces dessins sont orientés tantôt verticalement, tantôt horizontalement.

6. A Le cercle se déplace d'un coin à l'autre du carré selon la diagonale : il n'a que deux places possibles. La croix fait tous les coins dans le sens direct.

7. C Seul le verbe «patienter» n'a pas le sens de «permission» que contiennent tous les autres verbes.

8. E Sur chaque ligne, il suffit d'accoler les deux figures de gauche pour obtenir la figure de droite.

9. C Les initiales des mots de la série suivent les lettres de l'alphabet dans l'ordre (a, b, c, d). Le mot suivant est donc «envie» dont l'initiale est «e».

10. D C'est la seule figure où la croix et le cercle sont en sens inverse.

11. B Les deux triangles se superposent et changent de couleur. Les carrés doivent faire de même.

12. C Les trois petits cercles ont deux positions possibles, qui alternent d'un carré à l'autre. La croix est tantôt en haut, tantôt en bas. Si bien que l'on obtient l'alternance de deux figures identiques.

13. F La croix accueille 1, 2, 3 puis... 4 points.

14. B Seul le verbe «surprendre» ne contient pas la notion de peur.

15. B Sur chaque ligne, les deux figures de gauche sont identiques. La figure de droite s'obtient en tournant la figure de gauche d'un quart de tour vers la droite et en changeant de couleur.

16. B Remis en ordre, les mots sont respectivement : rose, **tendre**, marron, gris.

17. B La zone hachurée augmente régulièrement et les hachures sont toujours dans le même sens.

18. Les deux dominos qui se font face sont construits de façon symétrique.

19. A C'est la seule figure où le trait simple est dans le plus petit angle du triangle.

20. C La loi est la suivante : les positions des deux figures s'inversent (celle qui incluait est incluse) et celle du centre est noircie.

21. F La croix est toujours la même et le point tourne autour dans le sens direct.

22. D Les dessins représentent les quatre angles formés par une croix, dessinés dans le sens direct.

23. F Les prénoms pris deux par deux ont le même nombre de lettres. Dans les noms proposés, seul Anne a quatre lettres, comme Jean.

24. D Chaque ligne et chaque colonne sont composées d'un exemplaire de chacun des trois cercles.

25. C Les mots sont : orgue, harpe, **tabouret**, piano.

26. F Chaque trait unique est au centre de l'angle formé par les deux traits de la figure suivante.

27. Sur la ligne du haut, le troisième domino est égal à la somme des deux autres. Sur la ligne du bas, les faces des trois dominos sont identiques.

28. B Quand on positionne le petit cercle en bas de la figure, toutes présentent le signe = en haut et à droite, sauf la figure b où il est en haut à gauche.

29. C La petite croix passe à l'intérieur de la figure (cercle ou carré), mais en changeant d'axe.

30. A La flèche tourne de trois huitièmes de tour à chaque fois, dans le sens direct.

31. D Le trait qui est extérieur au petit carré lui est chaque fois intégré dans la figure suivante. Le petit carré possède donc 0, 1, 2... puis 3 axes, les précédents étant reportés de façon identique.

32. Gros Forme le gros sel, le gros œuvre et le gros mot.

33. A Sur chaque ligne, deux dessins sont identiques, alors que le troisième est différent. Le dessin manquant sur la dernière ligne est donc semblable à l'un des deux dessins précédents.

34. D Les mots sont : oncle, mère, fils, **voisin**.

35. D Un axe s'ajoute chaque fois au carré, mais les précédents restent les mêmes.

36. La série est composée des deux mêmes dominos simplement alternés.

37. B En descendant d'une case, la figure se double d'une autre identique.

38. Sur chaque ligne, le nombre de points va décroissant : 4-3-2-1, 6-5-4-3 et 0-6-5-4.

Test 2 (page 177)

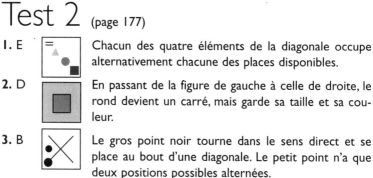

1. E Chacun des quatre éléments de la diagonale occupe alternativement chacune des places disponibles.

2. D En passant de la figure de gauche à celle de droite, le rond devient un carré, mais garde sa taille et sa couleur.

3. B Le gros point noir tourne dans le sens direct et se place au bout d'une diagonale. Le petit point n'a que deux positions possibles alternées.

4. L'une des deux faces, de manière alternée, est toujours égale à 2. Le nombre de points sur l'autre face diminue de 1 régulièrement.

5. E La ligne formée par les figures est tantôt horizontale, tantôt en diagonale. Avant de basculer, les trois éléments subissent une permutation : le dernier passe en premier.

6. A On observe deux séries alternées, l'une de +, l'autre de X. Dans la seconde (X), le tiret tourne dans le sens direc (et dans le sens indirect dans la série +).

7. E «Savoir» est le seul verbe qui relève d'une certitude.

8. D Les carrés doivent être vus comme des cadrans d'horloge. Sur chaque ligne, passant d'un dessin au dessin suivant, l'une des «aiguilles» reste immobile alors que l'autre avance régulièrement d'un quart d'heure (ou d'un quart de tour).

9. B Les mots brouillés sont Belgique, **Ethiopie**, Norvège, Portugal et France.

10. B-E Les cinq autres dessins sont identiques, seulement orientés différemment. Ces deux-là sont différents.

11. Chaque face de domino se retrouve identique si l'on saute un domino et que l'on change de face (ex. : le 3 sur la face extérieure du premier domino se retrouve sur la face intérieure du troisième domino).

12. D Le cercle se déplace d'un demi-côté en sens indirect. Le triangle passe alternativement d'un côté à l'autre, toujours en sens indirect.

13. B Le cercle passe d'un coin à l'autre du carré en sens direct. Les tirets ne changent pas de place mais un tiret supplémentaire s'ajoute chaque fois.

14. B «Cribler» est le seul verbe qui implique une multitude d'impacts. Tous les autres n'évoquent l'idée que d'un seul «trou».

15. B Verticalement, le dessin reste identique. Les zones colorées ne peuvent prendre successivement que trois états qui sont illustrés sur les deux premières lignes.

16. Marché — Forme marché noir, marché conclu et marché à terme.

17. D Son orientation est recto-verso par rapport aux quatre autres dessins qui sont identiques.

18. Sur chaque ligne de trois dominos, tous les chiffres de 1 à 6 sont représentés, en ordre divers.

19. C La flèche change d'orientation dans un dessin sur deux. Le nombre de croix augmente d'un dessin à l'autre et le groupe des croix remonte sur l'axe de la flèche.

20. C D'une figure à la suivante :
- le dessin «englobant» se réduit et passe entre les deux autres ;
- les deux autres dessins inversent leur position et changent de couleur.

21. B La flèche qui suit un angle formé de deux traits est située dans le prolongement de la médiane de cet angle.

22. D Le dessin pivote d'un quart de tour en sens indirect et les flèches changent de sens.

23. C — Les mots brouillés sont tulipe, violette, **casserole**, glaïeul et rose.

24. F
C
Verticalement comme horizontalement, on doit trouver les trois lettres A, B, C et les trois tailles : petit, moyen, grand.

25. A — D'un prénom au suivant, le nombre de lettres augmente d'un. Le prénom à trouver a donc forcément huit lettres.

26. B La flèche tourne en sens direct d'un huitième de tour à chaque fois, sauf en b.

27. Sur chaque ligne, le troisième domino est égal à la somme des deux pécédents.

28. E Les zones noire et blanche alternent. La flèche change de sens.

29. A La droite verticale n'a que deux positions possibles alternées. La droite horizontale remonte régulièrement.

30. C Le petit carré suit les coins dans le sens direct, une fois blanc, une fois noir. La droite tourne également, son axe se décalant régulièrement en sens indirect (il passe donc à l'horizontale).

31. A Le fond du dessin a deux étapes : jaune et rouge. Le dessin a deux couleurs : blanc et noir. Ces deux éléments alternent d'un dessin à celui du dessous.

32. C Prononcé à haute voix, «immangeable» est le seul mot commençant par le son «in» et non par le son «imm».

33. C Sur chaque ligne de trois dessins, le troisième est constitué par la simple superposition des deux dessins précédents.

34. D Les mots brouillés sont renard, dromadaire, mouton, **canard** et chat.

35. A Les carrés noirs sur les lignes 2 et 3 ne bougent pas. Le carré de la ligne supérieure se décale régulièrement vers la droite. Celui de la ligne inférieure se décale régulièrement vers la gauche.

36. F De gauche à droite, le dessin reste identique mais diminue de taille.

37. A En passant aux figures inférieures, le dessin reste le même mais partie noire et partie blanche changent de côté.

38. Le nombre de points sur la première case des dominos augmente régulièrement de 2. Sur la seconde case, ce nombre diminue régulièrement de 2.

Test 3 (page 194)

1. A Il faut voir le premier dessin comme la superposition de deux aiguilles. L'une avance, d'une figure à l'autre, d'un quart d'heure en sens indirect, l'autre de cinq minutes en sens direct.

2. A-E   Les cinq autres figures sont identiques, elles sont seulement orientées différemment. Seules ces deux-là sont différentes.

3. B-G Les cinq autres figures sont identiques, elles sont seulement orientées différemment. Seules ces deux-là sont différentes.

4. Chaque domino est construit en fonction de son vis-à-vis : face intérieure plus un (4+1 = 5), face extérieure moins deux (2 - 2 = 0).

5. F Sur chaque ligne, la troisième figure est faite de la superposition des deux précédentes. Mais une règle supplémentaire veut que lorsque deux tirets sont superposés, ils disparaissent.

6. E Les trois petits tirets changent d'axe d'une figure à l'autre, en sens direct. Chaque fois, ils laissent derrière eux un petit tiret supplémentaire.

7. C

Le triangle noirci tourne régulièrement en sens direct. La bordure du carré et les limites des triangles s'effacent en sens indirect. La flèche tourne de trois huitièmes de tour en sens indirect.

8. C

Les deux croix tournent en sens inverse en passant d'une case à l'autre. Les petits ronds changent d'arc de cercle en sens direct et leur nombre augmente de 1 à chaque fois.

9. B

Le carré noir descend verticalement en trois étapes, puis recommence. Le carré vide remonte en oblique en trois étapes, et recommence.

10. E

Les éléments du dessin sont les mêmes que sur celui de la ligne du bas, mais ils subissent les mêmes modifications que les éléments de la ligne du haut (doublement de l'ovale, changements d'orientation).

11. D

Il faut voir la première figure comme deux aiguilles d'une pendule à l'heure de midi. L'une des aiguilles avance d'une figure à l'autre de 15 minutes, l'autre de la moitié (un huitième de tour).

12.

Pour les dominos de la ligne du milieu : leur face supérieure est égale à la somme des faces de gauche des deux dominos qui l'encadrent ; leur face inférieure est égale à la différence des faces de droite de ces deux dominos.

13. C

«Fémorale» se rapporte à une artère alors que tous les autres mots se rapportent à une glande.

14.

Le troisième domino de chaque ligne est obtenu grâce aux deux premiers : chacune de ses faces est égale à la différence des deux faces qui la précèdent.

15. E

Les mots brouillés sont : merle, roitelet, pigeon, rossignol et **brochet**.

16. A Le carré blanc est alternativement présent et absent. Le petit carré barré tourne en sens inverse en suivant les coins du grand carré. La petite croix n'a que deux positions possibles qu'elle prend alternativement.

17. D La figure subit une rotation vers la droite. Puis, il y a inversion des deux éléments à chaque extrémité.

18. D Les deux premières lettres des mots de la série sont celles des jours de la semaine : LUndi, MArdi, MErcredi, etc.

19. D Sur chaque ligne, la troisième figure est faite de la superposition des deux figures précédentes, selon cette règle : deux tirets dans le prolongement l'un de l'autre s'annulent et disparaissant.

20. F Le brochet est le seul poisson de rivière. Les autres sont des poissons d'eau de mer.

21. B-F   Les cinq autres figures sont identiques, elles sont seulement orientées différemment. Seules ces deux-là sont différentes.

22. Au sein du même domino, la seconde face a deux points de moins que la première. D'un domino à l'autre, on augmente d'un point, deux points, trois points, etc.

23. C Il faut voir le petit carré noir de la première figure comme la superposition de trois carrés noirs de même taille qui vont s'éloigner progressivement les uns des autres, chacun sur son axe.

24. C 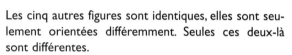 La figure reste la même mais les zones noires et vides s'échangent.

25. D — Les mots brouillés sont Paris, Dijon, Limoges, **Prague** et Bergerac.

26. E Sur chaque ligne, d'une figure à l'autre, la flèche tourne de trois huitièmes de tour en sens indirect et la zone noircie peut prendre trois positions différentes le long de son axe.

27. A — Les initiales des mots de la série sont celles des premiers chiffres : Un, Deux, Trois, etc.

28. C Le segment vertical se déplace progressivement vers la droite. Le segment horizontal descend régulièrement.

29. Construisez une ligne brisée allant de la face supérieure du premier domino à la face inférieure du deuxième, etc. : le nombre de points baisse de un régulièrement. La ligne opposée montre une hausse régulière de deux points.

30. E Les deux traits parallèles tournent autour du carré en sens indirect. La croix se situe toujours face aux deux traits, un de ses axes leur étant parallèle et l'autre perpendiculaire.

31. D Dans la seconde colonne, comme dans la première, le cercle gagne un second petit cercle à l'intérieur. Les quatre fonds sont différents.

32. F Le carré noir de la première ligne descend régulièrement d'un carreau. Celui de la troisième ligne progresse vers la droite (il va se superposer au premier dans la quatrième figure). Celui de la quatrième ligne remonte le long de la diagonale.

33. F — La figure est composée de deux droites, puis trois, puis quatre. La figure recherchée est celle composée de cinq droites.

34. COUVRE — Forme les mots couvre-lit, couvre-chef et couvre-feu.

35. B Sur chaque ligne, la troisième figure est faite de la superposition des deux figures précédentes, selon cette règle : rayures dans un sens + blanc = rayures dans l'autre sens ; rayures dans un sens + rayures dans l'autre sens = noir.

36. C Les mots brouillés sont Proust, Benoît, **Groult**, Vian et Cronin.

37. C Le grand carré blanc reste identique. Le petit carré noir de la première figure se déplace en sens direct, tout en grandissant et en alternant sa couleur : il est tantôt blanc, tantôt noir.

38. E La flèche change de sens. Rond et croix passent de l'extérieur à l'intérieur et inversement, en échangeant leur position ; le rond change de couleur.

39. E Le carré noir de la première ligne progresse vers la droite horizontalement. Le premier carré de la quatrième ligne remonte selon la diagonale. Le second remonte verticalement.

40. D Le premier dessin est la superposition des deux suivants. De la même façon, le quatrième est la superposition des deux qui le suivent.

Corrigés du chapitre 4

Test 1 (page 214)

1. Source — La lave jaillit du volcan comme l'eau de la source.

2.  Dans les dominos en vis-à-vis, la valeur de celui de droite est égale au double de celui de gauche, symétriquement par rapport à l'axe central.

3. Cran — Faire un cran et avoir du cran.

4. 640 — Dans chaque colonne et dans chaque ligne, le premier chiffre est égal au produit des deux suivants.

5. d — Il s'agit de pendules avançant chaque fois de 25 minutes.

6. Tapage et vacarme.

7. d Le premier carré noir descend en diagonale, le second ne bouge pas, le troisième longe le bas vers la gauche.

8. BOITER

9. Oculaire

10. a — La règle veut qu'il y ait deux points à l'intérieur de la figure.

11. Ouvrir — On épluche une pomme pour la manger, mais on ouvre une huître.

12. 13 — 5A=20, donc A=4 et 4+9=13.

13. Egoïsme et altruisme.

14. c   Seule figure identique, juste retournée et pivotée.

15. Laurier Les autres mots sont: serrure, mare (ou rame), grive (ou givre), soleil.

16. 14 Pour trouver ce chiffre, on additionne le produit des deux pattes avant et arrière: $(1 \times 6) + (2 \times 4) = 6 + 8 = 14$.

17. Faux Le soleil semble se coucher en direction de l'Orient.

18. FOUINE

19. c [ ] Les figures comportent 4, 5, 6, puis 7 droites.

20. GOUVERNER

21. Ardennes et Somme sont les deux seuls départements du Nord de la France. Les autres sont au sud.

22. [domino] Le troisième domino de chaque ligne est composé par la somme des valeurs du haut et la soustraction des valeurs du bas des deux dominos précédents.

23. N Le début est A. Les lettres suivent l'ordre alphabétique en alternant: pas de saut, un saut de deux lettres.

24. Renoir et Mozart.

25.   Les quatre mêmes cartes se retrouvent sur les deux lignes.

26. e   Seul dessin où les trois figures se superposent.

27. b   Sur chaque ligne, le premier dessin est la somme des deux autres.

28. V   La cinquième lettre du début de l'alphabet correspond à la cinquième en commençant par la fin.

29. d Un rond de moins dans chaque dessin.

30. Fourmi et puce sont les seules à ne pas voler.

31. ULE   Forme gueule, nodule, rotule, seule, boule.

32. a Une fleur et un angle différents dans chaque ligne et dans chaque colonne.

33. ESPA**G**NOL

34. e   La flèche change de sens et la petite figure devient la grande. La couleur n'intervient pas.

35.   Les trois couleurs T, C et P se retrouvent sur chaque ligne et chaque colonne. En descendant chaque colonne, la valeur augmente de un.

Test 2 (page 227)

1. 644   Le chiffre des centaines augmente d'un, celui des unités diminue d'un.

2. Solitaire et grégaire.

3. CANARI

4. d Deux séries sont alternées et suivent la même loi: tourner d'un quart de tour et échanger les couleurs.

5. c

6. 64 F

7. L'ensemble des cartes est composé de paires rouges ou noires de même valeur.

8. Ordonner

9. a ⬜ Un carré noir supplémentaire.

10. PORT

11. Chasser et expulser.

12. a ⬤ La figure admet une symétrie horizontale.

13. 3   Dans chaque ligne et colonne, le premier chiffre est égal à la somme des deux autres.

14. GUENON

15. d   Tous ont un angle droit.

16. Meurtrier   Les autres mots sont: médecin, copain, valet et fermier.

17. d   Les pendules reculent d'une heure cinq.

18. LIONCEAU

19. Vrai   Le ragondin et le paresseux sont des mammifères.

20. d   Il manque une droite.

21. Captivant et intéressant.

22. P V   Deux lettres se suivent, puis on en saute cinq.

23. d

24. Mots

25.    La valeur du haut du second domino est égale à la valeur du bas du premier. La valeur du bas est égale à la valeur du haut du premier domino moins un.

26. Querelle

27. Trompettiste et saxophoniste (instruments à vent).

28.   Dans chaque diagonale, on trouve les quatre couleurs et deux fois les mêmes valeurs de cartes.

29. Castor   Le seul à ne pas pondre des œufs.

30. BOMBARDER

31. La valeur du haut augmente de 1, la valeur du bas diminue de 1.

32. Jars

33. M   Quatre lettres se suivent en partant du haut.

34. d Quand deux petits carrés se superposent, ils disparaissent.

35. Grenade et Naples.

Test 3 (page 240)

1. l   Le début est en C et on prend une lettre sur deux.

2. 4   Chaque nombre extérieur est la somme des nombres inscrits dans les triangles opposés.

3. CHON   Bouchon, cruchon, fourchon, cochon.

4. Bande

5. Les dominos sont identiques dans les diagonales.

6. Récit   Les autres mots: chanson, spectacle, rumeur.

7. c   Dans chaque ligne et chaque colonne, il y a une flèche de chaque taille et de chaque orientation. Le rond est à droite de la flèche en ligne 1 et 3, à gauche en ligne 2.

8. K Les lettres sont écrites 1 sur 2, en ordre inverse.

9. 55 Somme des deux chiffres précédents.

10. COLIS

11. d Les carrés noir et blanc suivent un déplacement régulier.
Le point noir est alternativement présent et absent.

12. Terroriser Les autres ont le sens de «haïr».

13. Dans chaque couleur, la première carte est la somme des
deux suivantes.

14. JADE

15. 8 F

16. TONDRE

17. b Deux figures contiguës se superposent pour former celle
du dessus.

18. Rome La capitale du pays dont c'est la spécialité.

19. Gratuit et intéressé.

20. a Dans chaque ligne, les petits ronds extérieurs valent +1 et
les petits ronds intérieurs valent -1. Le troisième dessin
est la somme algébrique des deux précédents.

21. AIGLEFIN

22. c La règle est: un Z à l'endroit.

23. Corvée Le seul à supposer la pénibilité.

24. Du chiffre du haut au chiffre du bas de chaque domino :
-1. Du chiffre du bas d'un domino au chiffre du haut du
suivant: -2.

25. a L'horloge avance de 5 minutes, puis de 10, 15, etc.

26. c Dans chaque ligne et chaque colonne, il y a au total 5 ronds, 3 rectangles et 4 carrés.

27. Faux   Saint Paul fait partie des quatre évangélistes.

28. Vermeil et magenta.

29. c Le seul où le nombre de sucettes est impair.

30. MOUCHERON

31. TRICOT

32. e

33. Endommager et réparer.

34. e Une flèche de moins à chaque fois, et la roue tourne vers la droite.

35. La somme des valeurs des deux cartes superposées détermine celle de la troisième. Il y a une couleur différente dans chaque colonne.

Test 4 (page 253)

1. Novice et expert.

2. a   Les branches en haut et à droite ne changent pas. Il y a un tiret de plus sur la branche de gauche, et tantôt un tiret tantôt zéro sur la branche du bas.

3. R   La lettre qui précède.

4.   Chaque domino a son inverse.

5. d   Sur chaque ligne et chaque colonne, on superpose les deux premières figures et on ôte ce qu'elles ont en commun pour obtenir la troisième.

6. e

7. Marche   Début des deux mots.

8. BROCHE

9. 9   (pieds - mains)

10. Epices

11. Niveau et degré

12.   Verticalement, la valeur diminue de un, les quatre couleurs sont présentes sur chaque ligne.

13. FOURNAISE

14. c   Les pendules avancent d'une heure cinq.

15. Vrai   L'aire du carré est égale au carré du côté.

16. 1/12^e

17. b

18.   La valeur de gauche du domino central est inférieure de un point à sa voisine. Sa valeur de droite aussi.

19. Oursin Ce n'est pas un coquillage.

20. e   Le triangle tourne autour du carré, le point descend la diagonale, la flèche change de sens tous les deux carrés.

21. Franc

22. b

23. Trompeur

24. Perruche Les autres mots sont: souris, abeille, voisin, nuage.

25. d En commençant en haut à gauche, les deux premières cases échangent leur dessin, puis les deux suivantes, etc., en tournant.

26. Cauchemar

27. a Ils admettent une symétrie horizontale.

28. Mouton

29. M D est le début, puis les lettres s'enchaînent, une sur trois, dans l'ordre alphabétique.

30. Indigo

31. 6 Le dernier chiffre de chaque ligne et de chaque colonne est le produit des deux précédents.

32. Perche et goujon.

33. Même couleur horizontale. La valeur de la première carte de chaque ligne est égale à la somme des deux autres.

34. Dauphin et ours sont les seuls noms masculins.

35. e 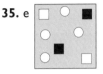 Il comporte 8 éléments au lieu de 7.

Test 5 (page 266)

1. Qualificatif Le seul à ne pas s'appliquer au pronom.

2. a

3. VERMO**U**LU

4. Les quatre couleurs se retrouvent sur chaque ligne. Les valeurs augmentent de 3 sur la ligne du haut et diminuent de 3 sur la ligne du bas.

5. MOULIN

6. h Il manque une diagonale.

7. Lancer et attraper.

8. Dans chaque colonne, les valeurs des faces de dominos augmentent de un régulièrement.

9. ANCIEN

10. Index

11. c   Superposez deux triangles contigus et supprimez les tirets dans le prolongement l'un de l'autre.

12. Creuse et Drôme.

13. 415   La somme des chiffres des autres nombres égale 11.

14. d

15. Vrai   Orgue est un nom commun qui devient féminin au pluriel.

16. c   Deux carrés qui se suivent sont complémentaires.

17. H T   Deux séries alternées, de progression + 1.

18.   La valeur de la première carte de chaque ligne est le produit des deux suivantes. Les couleurs sont fixes dans les diagonales.

19. a   Il y a deux carrés seulement.

20. Gauloise

21. e   Le petit rond tourne d'1/8 de tour, le carré d'1/4 et la flèche d'1/2.

22. Bison   Chien, loup, araignée, castor.

23. b

24. Crû

25. Riz   Le seul dont on ne fait pas d'huile.

26. 4

27. La face supérieure croît de un, la face inférieure du premier domino de chaque ligne est égale à la somme des 2 suivants.

28. CLAFOUTIS

29. d   La figure n'a que des angles aigus.

30. Brave et intrépide.

31. a   Les demi-diagonales pivotent, l'axe horizontal monte, l'axe vertical ne bouge pas.

32. DENT

33. W   Chaque lettre est en face de son inverse dans l'ordre alphabétique (A face à Z, etc.).

34. Omelette

35. 35/29   Au sein d'une même paire, les chiffres diminuent de -2, -3, -4, ... D'une paire à l'autre, de -1 (51 à 50, 47 à 46, ...).

Evaluation de vos résultats à chacun de ces 5 tests		Evaluation du résultat global (somme des notes aux 5 tests)	
Moyen	8 - 14 points	Moyen	30 - 70 points
Bon	15 - 19 points	Bon	71 - 95 points
Très bon	20 - 24 points	Très bon	96 - 120 points
Excellent	25 - 29 points	Excellent	121 - 145 points
Exceptionnel	30 - 35 points	Exceptionnel	146 - 175 points

Imprimé en Italie par

(LTV)

LA TIPOGRAFICA VARESE
Società per Azioni

Varese

Dépôt légal n° 22507 Avril 2002
ISBN : 2-501-03352-3